Hervé Martin

GUIDE DE

L'ARCHITECTURE

MODERNE

A PARIS

1900 ———— 1990

D1093208

SYROS
ALTERNATIVES

Le guide de l'architecture moderne à Paris mode d'emploi

Les bâtiments sont regroupés en 18 itinéraires couvrant un ou deux arrondissements, plus La Défense. En haut de chaque page, un numéro permet de situer précisément l'immeuble en se reportant à la
carte placée au début de l'itinéraire.
Dans les titres, la date indiquée est celle
de la fin de la construction.
Les phrases entre guillemets dans les commentaires sont des citations de l'architecte interviewé,
dont le nom est souligné en rouge.
En bas de page, une rubrique « à voir aux alentours » signale des constructions moins importantes qui s'inscrivent logiquement dans l'itinéraire.
Un index par noms, en fin de volume, permet de retrouver rapidement les bâtiments construits par un architecte donné.

© éditions Alternatives : 6, rue Montmartre Paris, Tel. : 42.97.43.21

Préface

L e guide d'Hervé Martin est celui d'un piéton de Paris, attentif, méthodique, qui veut comprendre son temps. Il va, photographie, choisit, bâtiment par bâtiment, ce que le siècle a apporté à Paris. Et avec ferveur, ignorant les exclusives, les doctrines, il enquête, commente, cherche à comprendre les intentions des auteurs, les cite. Aurais-je aimé parfois que soit exalté le génie, désigné la facilité, fustigé l'erreur... On cède facilement au besoin de convaincre. Il me semble que ce guide fait mieux puisque, évitant de vous endoctriner, il vous invite à aller voir vous-même : dans la vie quotidienne ou dans la contemplation, l'architecture est un art qui se parcourt, qui ne se raconte pas. L'espace échappe au langage, et pourtant, je tiens qu'il y a une pensée spatiale spécifique. « Espace indicible » disait Le Corbusier. Il faut donc avoir ce guide en poche et s'en aller par les rues. Il est fait pour cela.

Nous reconnaissons tous aujourd'hui que l'architecture de la ville est beaucoup plus qu'une addition de bâtiments, fussent-ils excellents. Nous y voyons une réalité complexe, globale, vivante, hétérogène ; nous y sentons une alchimie dont la réussite ne tient pas plus aux morceaux de bravoure qu'aux éléments courants, au tissu des bâtiments que l'auteur appelle « de second rôle », ceux que l'on ne regarde pas mais qui agissent le plus parce qu'ils constituent et qualifient les vides dans lesquels nous marchons, ce vaste réseau des rues, des places et des lieux publics qui est la grande forme essentielle de la ville, mais aussi l'image intérieure, la « chose mentale » dans laquelle nous habitons en poète.

Immeubles novateurs, bâtiments-culte, constructions surprenantes ou atypiques, objets héroïques, voilà la matière des guides habituels, surtout modernes. L'exploit, toujours. Mais puisque la ville ne peut être faite que de cela, on trouvera aussi dans ce guide des bâtiments normaux, représentatifs, « typologiques » comme on dit dans les écoles, et c'est ce qu'une civilisation met le plus de temps à engendrer : non l'innovation brutale, mais l'amélioration de ce qu'il y a de plus adéquat, simplement.

Sortis de leur contexte, ces bâtiments sélectionnés, rangés côte à côte font penser à des papillons épinglés sur les planches d'un collectionneur : nous découvrons leurs ailes splendides mais pour les voir voler, il faut aller voir le ciel.

Et il faudra marcher pour éprouver ce dont ce guide, qui est un catalogue du bâti, du plein, ne peut rendre compte : le vide dans lequel passe la vie, cet espace de la ville, et tous ces phénomènes par lesquels les bons bâtiments ne sont pas seulement des objets isolables et photogéniques, mais des projets qui irradient tout un coin de ville dans leur présence, parce qu'ils l'intègrent dans leur concept. Voilà : les beaux bâtiments ne sont pas ceux qui « s'intègrent » ; ce sont eux qui intègrent la ville, au contraire. Affaire de jeu spatial rigoureux, audacieux, inventif, et non d'accompagnement stylistique de ce qui est déjà là.

Mais feuilletons alors le guide comme les planches du collectionneur de papillons : quelque chose d'autre nous est restitué, quelque chose d'étonnant malgré les absences et les choix délibérés qui sont la loi du genre : une curieuse vibration... une vibration du temps. C'est cela. C'est le siècle. Plus que tout l'architecture a à voir avec le temps. Le temps veut devenir de l'espace « s'y concentrer » disait Bachelard. D'où cet énorme investissement, populaire et savant, sur le monument, sur la ville toute entière, les traités et les cartes postales, les bateaux-mouches et les faits du Prince, tout ce fétichisme sur les traces, les preuves que c'est vrai, que l'histoire a bien eu lieu, que le pouvoir a été un bon pouvoir. Et ce n'est évidemment pas seulement comme trace, comme témoignage, comme archéologie que l'architecture « contient du temps » : dans la ville qui évolue, et se renouvelle sans cesse par fragments, toutes les architectures, toutes les époques passées s'inscrivent aussi et d'abord au présent, comme réalité concrète et pratique que notre regard reconstruit périodiquement par bribes de cohérences... unités, contrepoints, ruptures etc. Art des enchaînements, des réponses. Dans la ville, l'histoire devient l'actualité, alors que dans le même temps toute construction terminée, inaugurée, photographiée, prise immédiatement dans l'inaltérable solidarité du paysage urbain est aujourd'hui déjà de l'histoire. Cette vibration du temps, cette coexistence qui est loin de toute muséographie me semble précisément être notre sentiment moderne de la ville, celui que notre siècle produit et qui éclate dans ce guide où tout semble à la fois révolu et actuel historique et nouveau.

Jamais aucune époque n'a autant construit. Jamais de façon aussi diversifiée, voire disparate. Mais c'est une époque unique dans l'histoire de l'architecture et de toute la civilisation urbaine, le premier bond hors de la continuité historique. Après des siècles d'évolution lente, harmonieuse, avec un style assez unitaire par siècle, des époques qui s'enchaînent comme les pages d'un album que l'on tourne lentement, tout à coup les matériaux millénaires changent, le fer entre dans le bâtiment, le béton armé est inventé, et puis non seulement les techniques éclatent, mais les certitudes ancrées depuis la Renaissance basculent, la rhétorique classique devenue académique s'essouffle, et toute la référence à l'antique fait place à celle de la nature, avec l'Art Nouveau, puis à celle de l'industrie, et à la métaphore mécanique, et c'est l'irruption des avant-gardes et du Mouvement moderne. Quel chemin en quelques années ! Et dans Paris on le retrouve, on le suit depuis les gestes solitaires, précurseurs et comme jaillis d'ailleurs, et puis les reconstitutions des nouvelles doctrines, ensuite les régressions, les reflux pompiers, l'éparpillement des styles, et contre cela l'universalisation de dogmes enthousiastes, hâtifs. Tous les matériaux, toutes les techniques et les conceptions les plus différentes de la ville semblent foisonner et parfois se livrer bataille. C'est le siècle de toutes les remises en question : l'harmonie classique de la ville y est rejetée, mais l'utopie moderne de la table rase l'est aussi, dans une chronologie qui est un défi au cycle lent et linéaire qui réglait l'évolution des conceptions et des constructions urbaines.

Peut-on dire que l'entre-deux-guerres, époque des grands systèmes, des « totalitarismes » et des visions manichéennes, a vu monter les pôles extrêmes de toutes ces confuses contradictions en un conflit clarificateur ? Dans l'architecture s'opposent en effet à cette époque deux courants antinomiques : celui du Mouvement moderne, issu du Bauhaus et marqué par Le Corbusier, Lurçat, Lods, et celui de la grande tradition monumentale décorative référée à l'antique et reprise par les pouvoirs fascistes et stalinien. La guerre a tranché ce duel schématique et simplificateur, l'ordre totalitaire a perdu, le Mouvement moderne, marginal quelques années avant, s'est répandu massivement comme une sorte d'incarnation de la légitimité démocratique. Comme dans la prophétique Charte d'Athènes édictée en 1933 par les CIAM (Congrès internationaux d'architecture moderne), raison productive et sociale se rejoignaient. Derrière tout cela, en retrait, planait l'ombre immense, culpabilisatrice aussi, de Le Corbusier.

Cette vision a ordonné le regard et occulté toute une architecture de l'entre-deux-guerres que ce guide fait bien apparaître. Cette architecture, longtemps marginalisée ou ignorée, pourrait s'appeler « intermédiaire ». Mallet-Stevens en est la grande figure principale, mais elle est illustrée, dans Paris, par une quantité d'auteurs assez éloignés les uns des autres pour interdire de parler d'école, mais qui racontent ensemble une autre modernité, calme, peu préparée à l'industralisation, certes, mais poursuivant un travail d'innovation et d'amélioration formelle affranchi de la prétention naïve d'éjecter la réalité historique de la ville, et attaché à faire évoluer des savoir-faire d'entreprises totalement disparus depuis.

7

En contrepoint, je regrette que les années cinquante, qui ont certes peu construit dans Paris *intra-muros*, soient peu présentées. L'immeuble d'Edouard Albert, rue Jouffroy, devrait être montré, par exemple et, puisque La Défense est, à juste titre, présentée, l'auteur aurait peut-être pu oublier parfois la barrière du périphérique pour se tourner vers les bureaux EDF d'Issy-les-Moulineaux par l'Atelier de Montrouge.

Mais l'auteur me semble avoir réussi à tenir ici, sur une époque peu familière au grand public, le registre très large selon lequel l'architecture est perçue : art savant et art populaire tout à la fois. Art savant, puisque nous avons là un pas important et indispensable vers un inventaire du patrimoine du XXème siècle, fait avec suffisamment de recul aujourd'hui pour constituer pour l'architecte une leçon de relativisme et de modestie, un regard synthétique sur le pluralisme de la ville, ce florilège barbare et étonnant. Art populaire, enfin. L'architecture est le plus simple moyen de communication, la plus ancienne courtoisie : faire visiter son territoire, sa ville, envoyer une carte postale. Parler du lieu où l'on habite. Le montrer. En être fier. Et ce livre est aussi un recueil de photos-souvenirs que le touriste remportera à l'autre bout du monde.

Christian de Portzamparc
Paris, le 28 octobre 1986

8

ARRONDISSEMENTS

**Louis
FAURE-DUJARRIC**

1932
Magasin des « Trois
Quartiers »

17, bd. de la Madeleine (1er)
Métro : Madeleine
**Maître d'ouvrage :
TROIS QUARTIERS**

Curieux cas de mutation architecturale : Faure-Dujarric qui avait commencé sa carrière en construisant – en Argentine – de lourdes pâtisseries néo-haussmanniennes ou vaguement mauresques, pratique en France à partir des années 20 une architecture dépouillée et très graphique.

Les « Trois Quartiers » sont représentatifs de la deuxième génération de grands magasins : à l'exubérance métallique du Printemps, des Galeries Lafayette ou des Magasins Réunis (v. p. 202) qui affichaient de façon voyante leur fonction commerciale, succèdent des constructions plus sobres.

Faure-Dujarric refuse l'aspect de bazar et « l'entassement des marchandises dans un grand déballage » (1).

La façade des « Trois Quartiers » pourrait être celle d'un immeuble de logements de luxe. Traitée comme un tableau abstrait, elle mêle aplats blancs et lignes noires. La parfaite finition en pierre et acier noir est chic et soignée, à l'image de la nouvelle clientèle des grands magasins.

(1) Cité dans « Les grands Magasins » de Bernard Marrey (Ed. Picard, 1979).

A VOIR AUX ALENTOURS :
– X... / Cité Vendôme / 362, rue Saint-Honoré (1932)
– VEBER et MICHAU / Logements / 5, rue Volney (1935)
– A. MOREL, L. FILIOL et G. FERAY /
Logements / 8, rue de Port-Mahon (1936)
– C. LE MARESQUIER et V. LALOUX / Palais Berlitz / 31, bd. des Italiens (vers 1932)
– J.C. DELORME / Foyer de personnes âgées / 28, rue Gramont (1984)

Joseph **BELMONT** et Pierre-Paul **HECKLY**.   Guy PRACHE, collab.

1979

Siège des Assurances Générales de France (AGF)

87, rue de Richelieu (2ème)
Métro : Bourse, Richelieu-Drouot
Maître d'ouvrage : AGF

L'anti-building : tournant le dos aux mausolées et autres tours monumentales, ce siège social d'un des plus grands groupes français d'assurance est composé de la « juxtaposition de plusieurs bâtiments moyens à l'échelle du tissu urbain parisien ». Plus qu'une simple intégration, il y a ici une volonté évidente d'innover en respectant scrupuleusement le contexte du quartier.

Fidèle à « l'esprit d'Haussmann », chacun des immeubles est divisé en un soubassement, « évidé pour aérer le quartier très dense », surmonté d'étages à grandes « fenêtres », réminiscence des immeubles bourgeois environnants. Au sommet, un « couronnement » évoque les combles et les traditionnels toits parisiens d'ardoise ou de zinc.

Les immeubles reposent chacun sur de gros poteaux situés en coin et contenant la totalité des gaines techniques (gaz, électricité, téléphone etc.) ce qui permet, à chaque étage, d'avoir une surface de plancher d'un seul tenant, totalement libre d'obstacle et pouvant se prêter à tous les aménagements.

Fernand COLIN

1932
Bureaux et logements

24, rue Feydeau (2ème)
Métro : Bourse

12

Quelques mois après le bâtiment du Poste Parisien, construit sur les Champs-Elysées par Desbouis (cf. p. 61), Colin réalise rue Feydeau un autre immeuble « en accordéon ».

Les bow-windows en chevrons répondent à la fois à la forme du terrain – à la façade oblique –, et au désir « d'obtenir dans une rue de 8 mètres de large, bordée de bâtiments de 7 étages, un éclairage de premier ordre » (1). Chaque pièce se trouve ainsi pourvue d'une baie de 5 mètres de développement, soit environ un tiers de plus que n'aurait permis une construction traditionnelle.

En outre, la lumière est de meilleure qualité, car les bureaux et appartements « prennent leur éclairage dans le sens longitudinal de la rue, et jouissent de l'échappée sur le ciel que procure la place de la Bourse toute proche » (1).

(1) « L'architecture d'Aujourd'hui », décembre 1932.

A VOIR AUX ALENTOURS :
– *H. SAUVAGE / Bureaux / 10, rue Saint-Marc*
  (1929)
– *J. DEBAT-PONSAN et M. ROUX-SPITZ /*
  Bureau de poste / 8, place de la Bourse (1938-
  1950)

Georges CHEDANNE (?)

1905
Immeuble industriel

124, rue Réaumur (2ème)
Métro : Sentier
Maître d'ouvrage :
BARON DE SCHILDE

13

Un immeuble à l'élégance très innovante, qui reste une énigme.
C'est sans doute le premier bâtiment parisien qui abandonne toute référence à la pierre pour n'utiliser que du métal (à l'exception du dernier étage de logements, en briques).
Il est généralement attribué à Chedanne, qui en déposa le permis de construire le 13 mai 1904 (1). Mais la production de ce dernier – de ses très académiques « envois de Rome » à la plantureuse pâtisserie Belle Epoque du Palace-Hôtel, 103 Champs Elysées – ne ressemble en rien à l'immeuble de la rue Réaumur.
Ici, au contraire, la structure de la construction est clairement affichée sur la façade, et rien ne cache les poutres d'acier rivetées soutenant légèrement les bow-windows métalliques, architecture Nautilus qui fait penser à l'optimisme technologique d'un Jules Verne. Les étages ont un plan complètement libre, chaque occupant élevant lui-même les cloisons intérieures dont il a besoin.
Ce jusqu'au boutisme n'empêche pas la délicatesse Art Nouveau des portes du rez-de-chaussée et des courbes des poutres, ni la douceur des voûtes galbées en briques sous les bow-windows.

(1) Cf. Jean Claude Delorme et Philippe Chair, « L'école de Paris », Ed. du Moniteur (1981).

14

**André BLUYSEN et
John EBERSON**

1931
Cinéma « Rex »

1, bd. Poissonnière (2ème)
Métro : Bonne-Nouvelle

Un des deux grands temples du cinéma – avec le Gaumont-Palace, détruit en 1972 – construits à Paris dans l'entre-deux-guerres.
Eberson applique ici le principe des « salles atmosphériques », dont il a construit plus de 400 exemplaires aux Etats-Unis depuis 1923 (1). L'intérieur de ces salles sont de véritables décors en relief, recomposant des morceaux de cités fantasmatiques, sous des ciels nuageux ou étoilés, recrées par des projecteurs spéciaux. Au Rex – dont le décor est resté intact – c'est toute une ville d'inspiration hispano-antique qui occupe les murs.
La construction de la salle – une des plus grandes d'Europe, avec ses 3.300 places – a duré douze mois. Un record, s'il l'on pense qu'elle a nécessité près de 20.000 tonnes de ciment, plâtre et sable, et 1.500 tonnes de fer. La cabine de projection, totalement séparée de la salle, se trouve dans l'encorbellement de la rue Poissonnière. L'imposante lanterne de l'angle est en fait très légère : c'est un simple treillis sur lesquel a été projeté du ciment.

(1) Cf. « Architectures de cinéma » de Francis Lacloche. Ed. du Moniteur (1981).

A VOIR AUX ALENTOURS :
– A. ARGOUGES / Imprimerie / 6, rue des Forges (1929)
– C. de MONTARNAL, R. MONTENOT / Immeuble industriel / 91, rue Réaumur (1897-1926)
– P. SARDOU / Immeuble de « L'intransigeant » / 100, rue Réaumur (1925)

– J. PECCOUX / Centre sportif / 17, rue Léopold Bellan (1969)
– M. DUCHARME, C. LARRAS et J.P. MINOST / Logements / 87-117, rue Rambuteau (1983)

Claude VASCONI et Georges PENCREAC'H. Jacques BOUTON, collab.

15

Jean PROUVÉ, ing. conseil.

1979
Forum des Halles

Rues Rambuteau, Pierre Lescot et Berger (1er). Métro : Les Halles, Châtelet
Maître d'ouvrage : SEMAH

Les architectes ont voulu « rendre partout présente la lumière solaire par des verrières disposées en cascades qui amplifient l'espace et rendent plus agréable la déambulation » dans ce « forum » à vocation exclusivement commerciale.

« Afin d'accentuer le caractère d'espace intermédiaire, à la fois intérieur et extérieur », les architectes ont joué l'ambiguïté : « les verrières – transparentes – sont en même temps rendues très présentes par les structures en aluminium moulé – volontairement placées à l'extérieur et peintes en blanc – sous lesquelles s'accrochent les vitrages ».

A l'origine, le Forum ne comportait que trois côtés, le jardin se terminant en gradins sur sa face est. Pour des impératifs commerciaux, un quatrième côté a été construit. Avec un chiffre d'affaires (en 1985) de 47.000 F au m², le Forum est la surface commerciale la plus rentable de France.

Autour du Forum, Jean Willerval a placé des constructions légères de verre et d'acier, sorte de « pavillons de plaisance, semblables aux « folies » du 18ᵉ siècle, qui continuent le jardin et viennent le faire mourir dans la ville ».

Leur construction, étudiée par Jean Prouvé, est originale : les poutrelles intérieures, qui supportent les vitrages, sont « suspendues » aux structures porteuses extérieures, disposées en « baleines de parapluie » au-dessus du toit.

Paul CHEMETOV.
Gérard CHAUVELIN, assist.

1985
Équipements publics souterrains

Sous le Jardin des Halles (1er)
Métro : Les Halles, Louvre.
Châtelet
Maître d'ouvrage : SEMAH

Une architecture à la Piranèse. A l'opposé du Forum voisin – léger et largement ouvert – Chemetov a utilisé ici des blocs de béton brut de proportions cyclopéennes, comme « des morceaux d'une ville effondrée, restés prisonniers sous terre ».
Ce premier véritable quartier souterrain de Paris (2 hectares à 20 m. sous le jardin) a les proportions de la ville extérieure : la grande galerie, longue de 80 m., est plus large – 10 m. – que bien des rues parisiennes, et débouche sur une place haute comme un immeuble de 5 étages.
« Un lieu souterrain n'est pas un quelconque projet dont on a simplement muré les fenêtres, explique Chemetov. Il lui faut une ossature puissante et visible qui sécurise et qui puisse supporter l'énorme poids du jardin (4 tonnes au m²) ». Pétrification des forces en oeuvre dans le bâtiment, les énormes piliers, les arcs-boutants et les ogives néo-gothiques veulent aussi être « comme un écho à Saint-Eustache », cette autre cathédrale qui se laisse apercevoir par les puits de lumière. De la même manière, la grande piscine intérieure montre sa puissante structure, mais elle est ouverte sur une serre tropicale pour échapper à l'impression d'enfouissement.

A VOIR AUX ALENTOURS :
– *M. MAROT et D. TREMBLOT / Logements / Angle passage des Lingères et rue Berger (1984)*

Ieoh Ming PEI. Michel MACARY et Georges DUVAL, arch. associés

Prévu : 1989

Pyramide du Louvre

Cour Napoléon (1er) Métro : Louvre, Palais-Royal
Maître d'ouvrage : ETABLISSEMENT PUBLIC DU GRAND LOUVRE

Objet d'une violente polémique entre les Anciens et les Modernes, la pyramide de l'architecte américain d'origine chinoise Pei est la partie émergée du bouleversement visant à faire du Louvre le plus grand musée du monde.

Avec le départ du ministère des Finances (aile nord, rue de Rivoli), la surface du musée passe de 30.000 m² à 55.000 m². Mais dans cet immense bâtiment en « U », les deux salles d'exposition les plus éloignées sont distantes de 1,7 km. D'où la nécessité de doter le musée d'une entrée « rayonnante » en son centre géographique, sous la cour Napoléon. Restait à signaler visuellement cette entrée partiellement souterraine et à lui amener la lumière. « Vaste à la base, réduite à un point au sommet, la pyramide est apparue comme la forme la plus rationnelle et la moins dévoreuse d'espace ».

« Ni son volume dépouillé, ni son matériau (du verre ultra-transparent spécialement étudié) n'essaient de se raccorder à l'architecture classique ou de lutter avec elle ». Entourée de bassins, « elle est l'élément central recréant une place urbaine fréquentée, là où n'existait auparavant qu'un espace mort et désert » servant de parking.

La pyramide abrite par ailleurs un ensemble de services (documentation, information, restaurant, magasins, auditorium et parkings) dont l'ancien Louvre, sorte de « musée sans coulisse » (1), était pratiquement dépourvu.

(1) François Chaslin, « Les Paris de François Mitterrand », Ed. Gallimard Folio (1985).

Henri SAUVAGE et Frantz JOURDAIN
1928
Magasins de la Samaritaine

10, quai du Louvre (1er)
Métro : Pont Neuf, Châtelet
Maître d'ouvrage : SAMARITAINE

Architecture de compromis. Sauvage s'intéressait alors à la construction préfabriquée à partir d'éléments métalliques « qui permet jusqu'à 37 % d'économie ». En
1928, il réussit d'ailleurs à monter en huit jours un immeuble de 6 étages, au 27, rue
Legendre (cf. p. 208).
La très conservatrice commission d'esthétique de la Ville de Paris, elle, était surtout
attentive à « l'admirable paysage urbain des abords du palais du Louvre » et ne
voulait pas entendre parler d'extravagances modernistes, comme les bâtiments
voisins en fer, que Jourdain avait construit 23 ans auparavant (cf. ci-dessous).
Quant à la direction du magasin, elle désirait un bâtiment en pierre, seul matériau
« qui porte puissance ».
Résultat : la structure métallique été entièrement façonnée en usine selon une
méthode ultra-moderne et amenée sur le chantier pour être montée en un temps
record... puis recouverte de la plus traditionnelle des pierres de taille, aux solides
sculptures Art Déco.

A VOIR AUX ALENTOURS :
– *F. JOURDAIN / Samaritaine / rues de la
Monnaie, Baillet et de l'Arbre Sec (1905)*
– *H. SAUVAGE et F. JOURDAIN / Samaritaine /
rues de Rivoli et du Pont-Neuf (1930)*
– *M. ARNAUT / Magasin Lissac / 114, rue de*
Rivoli (1938)
– *H. SAUVAGE / Logements / 42, quai des
Orfèvres (1932)*
– *J. TINGUELY et N. de SAINT-PHALLE /
Fontaine / place Igor Stravinsky (1983)*

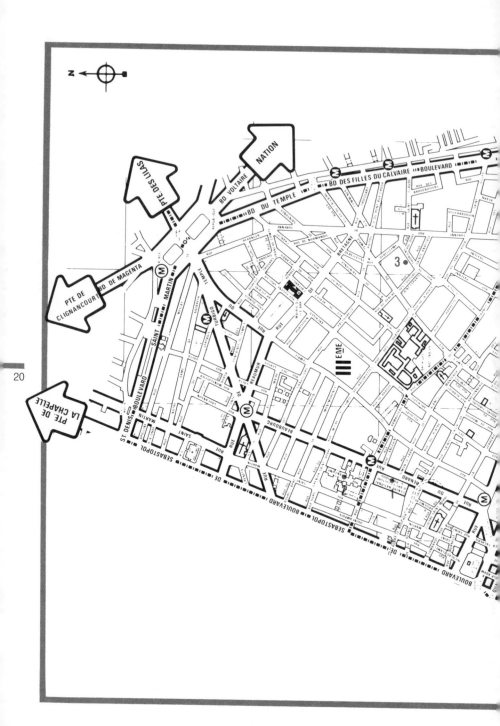

MARCHAIS

PTE. DE BERCY

PL. D'ITALIE

DENFERT ROCHEREAU

III.IV'

ARRONDISSEMENTS

Renzo PIANO et Richard ROGERS. Ove ARUP and partners, ing.

1977

Centre Pompidou

19, rue Beaubourg et rue Saint-Martin (4ème)
Métro : Rambuteau
Maîtres d'ouvrage : MINISTERES DE LA CULTURE ET DE L'EDUCATION NATIONALE

Le Président Pompidou, amateur d'art moderne – ainsi que sa femme – a voulu marquer son septennat par la construction d'un grand musée d'art contemporain. Bien que désapprouvant le projet finalement retenu par le jury, il n'a jamais cherché à le remettre en cause.

Permettre au grand public d'accéder à l'art contemporain, avait demandé Pompidou. « Alors, il ne faut pas faire un musée traditionnel, un temple de la culture intimidant », ont répondu les architectes. Leur idée : « casser le mur de méfiance entre le grand public et l'art moderne en construisant quelque chose qui lui soit familier – comme une usine – mais en même temps l'intrigue – comme un vaisseau spatial – c'est-à-dire lui donne envie d'aller voir ce qui se passe à l'intérieur ».

Paradoxalement, les nécessités fonctionnelles d'un musée moderne ont pleinement servi cet objectif. « Pour permettre toutes les possibilités d'aménagements ultérieurs sur des planchers complètement dégagés, nous devions supprimer tous les obstacles intérieurs : piliers, tuyauteries etc. Nous avons retourné cette difficulté à notre profit, en sortant et en exhibant à l'extérieur les « tripes » du bâtiment : structures métalliques, coursives, gaines de circulation des fluides – de couleurs différentes pour l'eau, le chauffage, l'air ou l'électricité – et, surtout, le grand escalier roulant dans son tube de verre. De l'intérieur il est un observatoire unique d'où l'on vient regarder Paris, ce qui est aussi une manière d'attirer des gens qui n'auraient pas spontanément l'idée de se rendre dans un musée d'art moderne. De l'extérieur il est, de par son mouvement incessant, le symbole du dynamisme du centre. »

Le même souci d'accessibilité à un vaste public détermine le fonctionnement du Centre, ouvert jusqu'à 22h : nombreuses expositions centrées sur des phénomènes de société, bibliothèque où l'on se sert soi-même, vidéothèques, et jusqu'aux coins-télévisions, rendez-vous l'hiver d'une population de clochards et de marginaux.

Les promoteurs du Centre Pompidou attendaient 5.000 visiteurs par jour. Il y en a aujourd'hui 25.000, et « Beaubourg », beaucoup plus qu'un simple musée, est devenu l'espace culturel le plus visité de France, devant le Louvre.

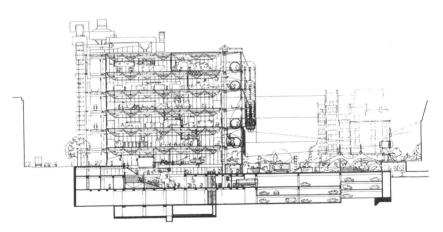

Coupe est-ouest

Jean-Claude BERNARD

André BERTRAND, arch.
d'opération

1970-1983
Quartier de l'Horloge
(735 logements +
commerces)

Rues Rambuteau et
Brantôme (3ème)
Métro : Rambuteau
Maître d'ouvrage : COGEDIM

Expérience de « reconstitution d'un véritable quartier parisien, avec ses mélanges sociaux, ses superpositions d'activités et de hasards ».

L'ensemble, étudié avec les associations de quartier, offre exactement la même surface de logements et de commerces que l'ancien îlot, détruit pour cause d'insalubrité. Il a été « fractionné en plusieurs sous-programmes ayant chacun sa logique propre, et traités indépendamment » (logements sociaux au nord, immeubles de grand standing au sud). A l'ouest, les façades historiques de la rue Saint-Martin ont été conservées, cachant des immeubles entièrement reconstruits intérieurement.

Dans le même esprit d'intégration au Paris traditionnel, les façades sur la « piazza » ont été « fractionnées en tranches étroites afin de retrouver le rythme des façades anciennes des deux autres côtés de la place ».

A VOIR AUX ALENTOURS :
– *P. BERGER et V. BARRE / Logements / 53, rue Quincampoix (1984)*
– *A. BERRY / Ecole / 207, rue Saint-Martin (1934)*
– *P. AUSCHER / Logements / 71, rue Beaubourg (1910)*

– *G. LESOU / Bureaux / 58, rue Beaubourg (1932)*
– *F. LE COEUR / Central téléphonique / 106, rue du Temple et 63, rue des Archives (1932)*
– *H. GUIMARD / Logements / 10, rue de Bretagne (1919)*

Jacques VITRY, Dominique HERTENBERGER et Jacques IVORRA

25

1973
50 logements de standing

13, rue Thorigny (3ème)
Métro : Saint Sébastien-Froissard
Maître d'ouvrage : COGEDIM

Une construction moderne qui « essaie de retrouver l'esprit du Marais, avec ses cours successives qui s'enfoncent dans l'épaisseur de la ville et débouchent sur un jardin caché ».

Ses matériaux – brique et béton, réminiscence de la place des Vosges toute proche – et ses volumes – fenêtres étroites, et bow-windows en saillie comme des échauguettes – participent de ce même « désir de renouer sans pastiche avec la tradition d'un quartier ».

L'entrée de l'immeuble, largement ouverte sur la rue, est l'amorce d'un « passage » dont les façades – qui sont celles d'un espace semi-public – sont aussi soignées que la façade principale. La grande cour est (presque) aussi animée que la rue, par le passage des habitants des immeubles intérieurs et les jeux des enfants.

A VOIR AUX ALENTOURS :
- D. HERTENBERGER et J. VITRY / Logements / 4, rue Villehardouin (1980)
- S. FISZER / Extension des Archives nationales / 9, rue des Quatre-Fils (prév. 1987)
- M. et N. AUTHEMAN / 4 maisons / 20, rue des Francs-Bourgeois – dans la cour – (1974)
- H. GUIMARD / Synagogue / 10, rue Pavée (1913)
- BUKIET / Bureau de poste / 12, rue Castex (1938)

26

Pierre GIUDICELLI.

(Bâtiment originel : Georges BOURNEUF, 1935)

1981

Entrepôts transformés en 151 logements de standing

14, quai des Célestins (4ème)
Métro : Sully-Morland, Pont Marie
Maître d'ouvrage : SAMARITAINE

Luxueuse réhabilitation des entrepôts néo-Louis XII – voisinage de la place des Vosges oblige – des grands magasins de la Samaritaine.
Pour « retrouver l'échelle des constructions anciennes », le bâtiment a été fractionné en cinq petits immeubles, et les vides entre les édifices existants ont été « comblés par de grandes baies vitrées dont les décrochements s'inspirent des façades ventrues d'autrefois ».
A l'intérieur – havre de paix strictement protégé par un système de sécurité mêlant la vidéo à l'infra-rouge – « l'espace convivial d'une grande cour carrelée, à l'abri du bruit » et baignant dans une curieuse lumière d'aquarium.

A VOIR AUX ALENTOURS :
– *P. TOURNON et O.C. CACOUB / Cité interna-*
  tionale des arts / 18, rue de l'Hôtel de Ville (1963)
– *G. GOLDBERG et A. PERSITZ / Mémorial du*
  martyr Juif inconnu / 17, rue Geoffroy L'Asnier
  (1956)

Jean NOUVEL, Gilbert LEZENES, Pierre SORIA et ARCHITECTURE STUDIO

Prévu : 1987

Institut du Monde Arabe

11, quai Saint-Bernard (5ème)
Métro : Cardinal Lemoine, Sully Morland
Maître d'ouvrage : INSTITUT DU MONDE ARABE

Instrument de diffusion de la culture arabe en France, l'IMA se veut un « bâtiment de dialogue ». Dialogue entre la tradition et le modernisme, par la transposition des constantes de l'architecture arabe : « Version technologique du traditionnel moucharabieh, les baies vitrées de la bibliothèque (à droite) tamisent automatiquement la lumière du jour grâce à des milliers de cellules photo-électriques. Entre la bibliothèque et le musée, une étroite faille conduit à un patio, transposition de l'intériorité de l'architecture arabe, où coule une fontaine de mercure, comme dans les anciens palais maures ». Dialogue aussi entre le Paris moderne et le Paris ancien : la bibliothèque emprunte ses formes orthogonales à la faculté de Jussieu, à ses pieds. En revanche le musée, moins haut, poursuit visuellement le boulevard Saint-Germain. Sa façade aux longues lames métalliques – dissimulant partiellement les silhouettes de toits parisiens gravés sur la vitre – s'ouvre largement sur Notre-Dame, « comme une grande fenêtre munie d'un store vénitien ».

A VOIR AUX ALENTOURS :
– D. BADANI et P. ROUX-DORLUT / Musée en plein-air / face au 7, quai Saint-Bernard (1979)
– L. POLLET / Piscine / 19, rue de Pontoise (1933)
– E. ALBERT, U. CASSAN, R.A. COULON et R. SEASSAL / Faculté de Jussieu / place Jussieu (1965)
– Agence d'architecture HBM / Ensemble de logements / 6, rue Larrey (1932)

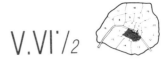

Henry POTTIER

1965
Restaurant universitaire

3, rue Censier (5ème)
Métro : Censier-Daubenton
Maître d'ouvrage : EDUCATION NATIONALE

La façade sur rue, orientée au nord, ne reçoit pas le moindre rayon de soleil : « il valait mieux la fermer pour donner au bâtiment l'aspect sombre et puissant d'une grotte. C'est ce qui explique l'emploi de céramique noire. Les consoles en béton brut qui soulignent les bouches d'aération accentuent cet effet minéral ».
Résultat : « l'effet est saisissant quand, après avoir pénétré dans cette grotte obscure, on débouche dans les salles de restaurant noyées de lumière qui arrive par les baies vitrées des autres façades, en plein soleil ».

Jérôme DELAAGE et Fernand TSAROPOULOS

1981
200 logements sociaux

20, rue Geoffroy Saint-Hilaire (5ème)
Métro : Saint-Marcel
Maître d'ouvrage : OFFICE H.L.M. DE PARIS

Un grand ensemble construit avec le souci de « préserver la structure d'un vieux quartier et son élément dominant, une petite place très parisienne située devant l'immeuble, sans tomber dans le pastiche ».

Ainsi, « la façade a été fractionnée en plusieurs volumes. Au premier plan, des façades basses en pierre, à l'échelle des constructions mitoyennes. En retrait, une façade-miroir précédée d'un parvis qui élargit visuellement la place, comme un décor agrandit une scène de théâtre ».

En même temps, le retrait de la façade « signale l'entrée d'un vaste jardin intérieur, cheminement public bordé de gradins, et qui traverse tout l'îlot, jusqu'à la rue Poliveau ».

A VOIR AUX ALENTOURS :
– *X... / Logements / 7, rue Nicolas Houel (1970)*
– *J. CONNEHAYE et S. HENNIG / Logements /*
  3, rue Poliveau (1983)
– *C. FREMIN / Crèche + Equipements sportifs / 39*
  bis, rue Poliveau (1985)

M. CUMINAL et R. LARDAT

33

1938
Ecole

66, bd. Saint-Marcel (5ème)
Métro : Gobelins
Maître d'ouvrage : VILLE DE PARIS

Une école construite dans la vague des années 30 (cf. p. 81), mais qui ne possède pas les caractéristiques des établissements bâtis à cette époque : volumes affirmés et cour visible de la rue.
Cela s'explique par le fait que la nouvelle école est en fait l'agrandissement de celle située à sa droite, datant du siècle dernier. La comparaison entre les deux façades – celle, modeste, de l'ancienne école, et celle de la nouvelle école, plus monumentale avec ses grandes ouvertures et sa hampe de drapeau – montre toutefois comment, en moins de cinquante ans, les établissements scolaires sont sortis de l'anonymat urbain pour accéder au statut d'équipement collectif, sorte de « monuments de quartier » marquant l'environnement.

A VOIR AUX ALENTOURS :
– *J. KALISZ / Maison de cure / 37, rue du Fer à*
Moulin (1986)

34

Gérard THURNAUER

Jacques LIONNARD, ass.
Fresque : Jean de GASPARY

1981

18 logements sociaux

5, rue de Valence (5ème)
Métro : Censier-Daubenton,
Gobelins
Maître d'ouvrage : RIVP

Même dans un « périmètre protégé » – ici autour de l'église Saint-Médard – on n'est pas forcément condamné à l'insipide « architecture d'accompagnement » que préconise souvent l'administration.

« Les façades de la rue de Valence – du 19ᵉ siècle aux années 30 – sont variées et vivantes » et Thurnauer a voulu « compléter par une façade dynamique cette collection d'échantillon d'histoire ». Au service de ce parti de dynamisme : des duplex en saillie, la façade partiellement rentrante, articulée autour de la colonne en céramique de la cage d'escalier, et des couleurs qui soulignent les décrochés de volumes. Une façon de « mettre l'architecture en mouvement en se servant d'éléments très simples ».

A VOIR AUX ALENTOURS :
– *G. PLANCHE / Logements / 9 bis, rue Valence*
  (1930)

Robert GROSJEAN, Jean-Philippe BARGADE et Gérard VIARD

35

1984

Gymnase et 16 logements

Place des Patriarches (5ème)
Métro : Censier-Daubenton
Maître d'ouvrage : RIVP

Une construction « bonhomme » qui veut retrouver l'esprit de l'ancien marché des Patriarches, détruit récemment.

« Un volume plus bas que les immeubles environnants, pour ne pas s'imposer. Une façade lisse, à l'unisson des façades petites-bourgeoises environnantes. Le fronton triangulaire rappelle l'ancien marché, et le soubassement bosselé est un clin d'oeil à plusieurs constructions du quartier, notamment rue Lhomond ».

Le volume très ouvert, avec des escaliers, une percée centrale, sur laquelle donnent les coursives qui accèdent aux appartements, achèvent de donner à ce bâtiment un « aspect convivial ».

Paul CHEMETOV

1967
Surélévation d'un
immeuble de logements

*12, rue de l'Epée de Bois
(5ème)
Métro : Censier-Daubenton,
Place Monge
Maître d'ouvrage :*
EPARGNE DE FRANCE

Pied-de-nez à l'institution. Pour sa première construction à Paris, le jeune et bouillant Chemetov a voulu démontrer « de manière ironique et polémique » l'académisme tatillon et l'inutilité de nombreux réglements architecturaux.

Il s'agissait de surélever un immeuble bourgeois en pierre de taille dont la construction avait été arrêtée au premier étage par la première guerre mondiale. « J'ai pris strictement au mot les règlements des Monuments Historiques : façade en pierre, fenêtres en hauteur, toit à la Mansard, j'ai tout respecté » indique Chemetov qui ajoute : « le résultat doit être convenable, puisqu'on m'a accordé le permis de construire ». Non sans mal : les discussions avec l'administration ont duré quatre ans. Mais Chemetov doit être satisfait de sa construction : il y habite.

A VOIR AUX ALENTOURS :
– P. CANAC / Ecole maternelle / 22, rue Saint-
  Médard (1973)

36

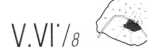

Jacques CASANOVA

1985
Crèche

48, rue Lacépède (5ème)
Métro : Place Monge, Cardinal Lemoine
Maître d'ouvrage : RIVP

Un immeuble « écorché » qui mélange les genres pour s'intégrer dans le vieux quartier historique de la Contrescarpe.

« Les deux extrémités de l'immeuble, dans le style traditionnel, semblent des réhabilitations de bâtiments anciens. Au centre – en retrait, comme l'intérieur d'un corps humain dans un « écorché » dont on a enlevé la peau pour laisser voir les organes – des volumes résolument modernes. Ils traduisent les fonctions du bâtiment : des arrondis, accueillants et généreux comme une femme enceinte, et des grandes baies vitrées qui laissent pénétrer à flot la lumière dans les locaux où vivent les enfants ».

A VOIR AUX ALENTOURS :
– *F. de MARESCHAL / Centre Culturel Arménien /*
  10 bis, rue Thouin (1981)

**Etienne DEBRE et
Jean-Marie HERTIG**

1985
Logement et agence de
publicité

7, rue Thouin (5ème)
Métro : Place Monge,
Cardinal Lemoine
Maître d'ouvrage :
M. et Mme BANZ

Logement et bureaux d'un publicitaire, construits sur un terrain si exigu (80 m²) que six précédents projets avaient dûs être abandonnés.

« La façade, par ses décalages successifs, marque la différenciation entre les lieux publics et privés : bureaux aux deux premiers étages, chambres aux troisième et quatrième, pièces communes d'habitation aux deux derniers niveaux ».

« La façade était trop étroite (8 m) pour être découpée en plusieurs éléments verticaux ». Les architectes ont donc cherché à l'unifier en jouant sur des éléments « uniques », comme le gros pilier contenant l'escalier d'accès à l'agence, ou la grande baie vitrée carrée qui regroupe en une seule ouverture toutes les fenêtres des chambres.

Un immeuble à rapprocher de celui construit avenue de Saxe par Maufras et Delatouche (cf. p. 146).

A VOIR AUX ALENTOURS :
- *Agence d'architecture HBM / Logements / 20, rue de l'Ecole Polytechnique et 19, rue des Carmes (1934)*
- *P. HERBE / Logements / 29, rue Jean de Beauvais (1960)*
- *A. et J. GUILBERT / Collège de France / place Marcelin Berthelot et impasse Chartière (1933-1940)*

- *J. CHOLLET et J.B. MATHON / Ecole des travaux publics / 59, bd. Saint-Germain (1934)*
- *P. TOURNON / Logements / 174, rue Saint-Jacques et 3, rue Paillet (1931)*

(état original)

Germain DEBRE et Nicolas KRISTY

1930

Institut de biologie

13, rue Pierre et Marie Curie (5ème)
Métro : Luxembourg
Maître d'ouvrage : FONDATION EDMOND DE ROTHSCHILD

La première construction parisienne importante – et la plus audacieuse – réalisée à l'âge de 40 ans par Germain Debré, architecte à la courte carrière retardée par le première guerre mondiale et interrompue par la seconde.

Un bâtiment visiblement inspiré de l'architecte hollandais Dudok (cf. p. 131) et de Mallet-Stevens, qui venait d'inaugurer trois ans auparavant la rue qui porte son nom (cf. p. 190). Mais l'accumulation des volumes imbriqués les uns dans les autres – jusqu'à la rotonde-signal du dernier étage – et l'emploi de la brique – réminiscence de l'architecture hollandaise contemporaine – produisent un résultat quelque peu différent de la blanche simplicité des maîtres de l'architecture cubique.

L'ensemble de l'Institut, dont la construction a été « coordonnée par un comité de savants », comprend une cinquantaine de laboratoires – dont un est enterré à 11 m sous terre pour rester à température constante – un jardin botanique sur le toit, un héliostat, un chenil et un clapier.

A VOIR AUX ALENTOURS :
- *J.E. DJENANGI / Foyer franco-libanais / 15, rue d'Ulm (1963)*
- *DANIS / Institut Curie / 25, rue d'Ulm (1933)*
- *J. BALLADUR / Institut Curie / 26, rue d'Ulm (1966)*
- *R. JOLY / Ecole des Arts Décoratifs / 14, rue Erasme (1969)*
- *R.H. EXPERT / Bureaux / 39 ter. rue Gay-Lussac (1934)*
- *A. CONTENAY / Logements / 11, rue Pierre Nicole (vers 1930)*

40

E. D.

1981
5 logements de standing

11bis, rue Pierre Nicole
(5ème)
Métro : Port-Royal
Maître d'ouvrage :
COPROPRIETE DIRECTE

Un « hommage moderne aux façades exubérantes en céramique du début du siècle ».

Pour « animer une rue classique et monotone, l'immeuble est revêtu d'une peau blanche et mouvante, couverte de trous et de débordements ». Bien que tous les appartements aient le même plan, les fenêtres et les volumes ont un dessin différent à chaque étage afin d'obtenir une « façade-sculpture, à la manière de Gaudi ou de Lavirotte » (cf. p. 203).

Au rez-de-chaussée, une fausse « ruine » conçue par Gnoc Duong vise à « créer une surprise au niveau du piéton et à faire passer l'art dans la rue ».

A VOIR AUX ALENTOURS :
– *J. WILLERVAL / Bibliothèque / 88 ter, bd. de*
  Port-Royal (1975)

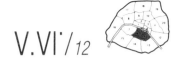

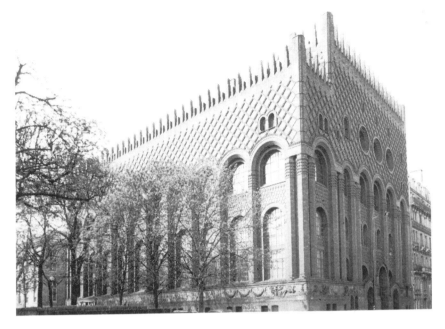

Paul BIGOT

41

1927
Institut d'Art et d'Archéologie

3, rue Michelet (6ème)
Métro : Port-Royal, Vavin

Un des rares exemples à Paris de l'architecture « historiciste », réponse d'architectes traditionnalistes adversaires résolus des réalisations du Mouvement moderne, et qui a surtout sévi en Europe centrale et en Allemagne.

Grand patron de l'école des Beaux-Arts, surtout tourné vers l'étude du passé, Bigot a très peu construit. Ses domaines de prédilection : les restaurations (notamment celle de l'hôtel Matignon) et les recherches historiques (il a réalisé une gigantesque maquette de la Rome antique).

Dans ce curieux fantasme, il laisse libre cours à un éclectisme qui mélange allègrement, dans un monumental palais en béton prudemment recouvert de briques, créneaux néo-mauresques, lucarnes médiévales et colonnes vaguement babyloniennes.

Pierre SIRVIN et Camille CLOUZEAU

1966
Extension de la faculté de Pharmacie

63, rue d'Assas (6ème)
Métro : Port-Royal, Vavin, Notre-Dame-des-Champs
Maître d'ouvrage : EDUCATION NATIONALE

Essai « d'accrocher du nouveau sur du vieux – les bâtiments existants de la faculté de Pharmacie – sans faire aucune concession à des formes anciennes ».

Les affinités sont ici uniquement question de proportions et de matériaux : « la monumentalité de l'ancienne faculté a été retrouvée en groupant par deux les étages de la nouvelle, et l'emploi de la brique crée une unité de matériaux. Les vitres noires, par leur neutralité, facilitent la liaison entre les deux architectures ». Une construction très influencée par les réalisations de l'architecte américain Louis Kahn.

Politesse à l'égard du passant, les architectes ont inversé le programme qui prévoyait une construction en bordure de la rue d'Assas avec un jardin botanique intérieur, et ont préféré construire un bâtiment « plus hospitalier », au fond du jardin qui vient border la rue.

A VOIR AUX ALENTOURS :
– *E. MALOT / Logements / 102, rue d'Assas (1930)*
– *LENORMAND et F. CARPENTIER / Faculté de Droit / 94, rue d'Assas (1962)*

Léon-Joseph MADELINE

1939
14 appartements de
standing

*96, rue Notre-Dame-des-
Champs (6ème)
Métro : Vavin, Port Royal
Maître d'ouvrage :
LEON GALLETTO*

43

Un immeuble représentatif de l'architecture « intermédiaire » de l'entre-deux-guerres – à mi-chemin entre modernisme et clacissisme –, aujourd'hui injustement oubliée. Ici Madeline a soigneusement caché, sous une brique parfaitement travaillée, l'ossature en béton de son immeuble, afin d'obtenir une construction « distinguée » (1).

Même double jeu pour les façades de son immeuble : celle du boulevard du Montparnasse est d'un clacissisme de bon ton. Mais sur la rue Notre-Dame-des-Champs, moins en vue, les volumes sont nettement plus audacieux : afin d'obtenir un ensoleillement maximum, la traditionnelle cour n'est pas placée au coeur de l'immeuble, mais ouvre directement sur la rue, comme dans l'immeuble de Perret, rue Franklin (cf. p. 176). Pour éviter « l'étranglement » de cette cour, Madeline a incurvé le fond de la façade et placé des fenêtres à ses angles.

La verticalité du bâtiment est accentuée par la haute cage de l'escalier de service en pavés de verre surmontée d'une rotonde et les cheminées dont la hauteur a été volontairement exagérée pour obtenir un effet de silhouette.

(1) Commentaire de « L'architecture française » (août 1941)

A VOIR AUX ALENTOURS :
– *L.J. MADELINE / 143 bd. du Montparnasse
(1939)*
– *J. BLANCHE / Logements / 151, bd. du
Montparnasse (1958)*

Henri SAUVAGE

1912
Logements de standing

26, rue Vavin (6ème)
Métro : Vavin, Notre-Dame-
des-Champs
Maître d'ouvrage :
COPROPRIETE DIRECTE

44

Moins de quinze ans après avoir construit à Nancy la villa de l'ébéniste Majorelle, véritable manifeste de l'Art Nouveau, Sauvage réalise cette « maison à gradins sportive », sans doute le premier immeuble en copropriété construit à Paris. Très influencé par l'architecture viennoise, il tire sa modernité non de ses volumes en retraits successifs mais surtout de son revêtement de céramique blanche, qui annonce les années 20.

Autre signe de modernité, la réflexion sur le logement : ici, Sauvage applique pour la première fois le système de construction en gradins, esquisse d'une cité-jardin verticale, qu'il développe plus complètement rue des Amiraux (cf. p. 220), dont les plans datent de la même époque. Construisant entre deux immeubles, il respecte toutefois partiellement l'alignement de la rue, et ne fait commencer ses gradins qu'au 3ème étage. Dans le vide intérieur, sous les gradins, il avait installé son propre atelier.

Cas peut-être unique au 20ᵉ siècle, Sauvage restera toute sa vie un architecte inclassable. Comparer notamment cet immeuble avec son voisin du 137 bd. Raspail qu'il a construit en 1925. On chercherait en vain dans ce traditionnel immeuble de rapport bourgeois en pierre de taille la moindre trace de la modernité qu'il manifestait 13 ans auparavant de manière si éclatante dans la maison à gradins (1).

(1) Cf. à ce sujet « Sauvage, le pur et l'impur », d'Antoine Grumbach dans « Architecture Mouvement Continuité » n° 37 (1976).

Michel HERBERT

1980
Bureaux (7.000 m²)

128-130, bd. Raspail (6ème)
Métro : Vavin, Notre-Dame-des-Champs
Maître d'ouvrage : COGEDIM

Sur ce « boulevard sans surprise où le regard glisse sans être arrêté ». Herbert a voulu mettre un « point fort qui accroche l'oeil ».

La forme « en accordéon » n'est pas gratuite. Elle « corrige l'effet disgracieux de l'angle obtus formé par le boulevard Raspail et la rue Vavin, et elle permet d'apporter le maximum de lumière à cet immeuble construit sur un terrain étroit et tout en profondeur ».

Pour contrebalancer l'aspect massif du bâtiment « les façades sont en glaces réfléchissantes, constamment animées par les mouvements du quartier et les changements du ciel ».

A VOIR AUX ALENTOURS :
– A. PROVELENGHIOS / Bureaux / 96, bd. Raspail / 1952
– L.J. MADELINE / Logements / 36, bd. du Montparnasse (1934)
– M. ROUX-SPITZ / Logements / 11, bd. du Montparnasse (1930)
– A. FERRAN / Institut A. Vernes / 40, rue d'Assas (1926)
– M. ROUX-SPITZ / Logements / 14, rue Guynemer (1926)
– R. BOUVARD / Ecole / 42, rue Madame (1925)
– G. UNIACK / Centre médico-éducatif / 20, rue Madame (1978)

**Henri BEAUCLAIR,
Paul DEPONDT et
Marcel LODS**

1968
Maison des Sciences de
l'Homme

54, bd. Raspail (6ème)
Métro : Sèvres-Babylone
**Maîtres d'ouvrage :
MINISTERES DE
L'EDUCATION
NATIONALE ET DE
LA JUSTICE**

Un immeuble-manifeste comme on en construisait à l'époque où l'architecture moderne était sûre d'elle-même et plus soucieuse d'illustrer une doctrine que de s'intégrer dans la ville existante. Ici c'est un « manifeste du fonctionnalisme » qui affirme « la vérité des matériaux et la pureté des volumes » dans la lignée de l'architecte américain Mies van des Rohe.

Ainsi, « l'ossature d'acier ne se cache pas derrière un mur-rideau et s'affiche clairement à l'extérieur. Les volets brise-soleil sont conçus pour remplir strictement leur fonction, sans aucune enjolivure ». De même, le coin de la rue a été dessiné « sans concession aux alignements des façades voisines ».

Le claustrat métallique reprenant le dessin de la façade et qui devait assurer la transition avec l'immeuble voisin du boulevard Raspail en cachant une « dent creuse », n'a jamais été réalisé.

A VOIR AUX ALENTOURS :
- *P. STARCK | Reconversion d'une piscine en entrepôt | 17, rue de Sèvres (1979) Bâtiment originel : L. BEGUET (1935)*
- *L. et R. MICHAUX | Bureaux | 91, bd. Saint-Germain (1927)*
- *R.H. EXPERT | Atelier des Beaux-Arts | 1, rue Jacques Callot (1933)*
- *G. VEISSIERE | Bureaux | 18, rue Jacob (1927)*
- *L. MADELINE et J. WALTER | Faculté de Médecine | 45, rue des Saints-Pères (1937-1953)*

49

VIIe

ARRONDISSEMENT

50

Jean-Jacques FERNIER et André BIRO

1973
84 logements de standing

5, rue de la Chaise (7ème)
Métro : Sèvres-Babylone
Maître d'ouvrage : ZANNETTACCI

L'architecture comme une mise en scène théâtrale de l'histoire. Il s'agissait de faire cohabiter un hôtel particulier du 18ᵉ siècle – l'hôtel de Vaudreuil – avec des bâtiments modernes de grand luxe.

La solution : « recomposer un théâtre à l'italienne autour de la cour de l'hôtel, ce dernier tenant lieu tout à la fois de scène et de vedette ». D'où « le plan d'ensemble oval, comme à la Scala de Milan, et les balcons de béton en forme de loges de théâtre, se détachant nettement sur les façades en pierre ».

Sur l'arrière (8, rue Récamier), la disposition des immeubles en volumes séparés a été dictée par le souci « de cacher des murs aveugles disgracieux ou, au contraire, de préserver par des vides les droits de vue des riverains ». Le jardin, de petites dimensions, a été « agrandi visuellement par la création de multiples vallonnements ».

A VOIR AUX ALENTOURS :
– *C. BLONDEL / Théâtre Récamier / 13, rue Récamier (1908)*
– *E. BOURSIER / Logements / 14, rue Chomel (1934)*

Pol ABRAHAM

(1932)
Logements

28-30 bd. Raspail (7ème)
Métro : Sèvres-Babylone

51

Un exemple très représentatif de cette architecture intermédiaire — entre classicisme et modernisme — des années 30, aujourd'hui largement oubliée.

Abraham appréciait dans l'architecture gothique « l'illusion d'une structure idéalisée, à base d'éléments linéaires, adventices dépourvus de toute utilité matérielle »(1). C'est la recette qu'il transpose ici en volumes modernes : toutes les parties verticales pleines de la façade sont effectivement porteuses. Mais elles sont volontairement épaissies pour jouer, en noir et blanc, avec les horizontales des baies vitrées et des balcons.

Les décrochements et retraits de la façade accentuent également les jeux de volumes, et permettent de donner à toutes les pièces d'habitation une fenêtre sur le boulevard. Noter la conception très raffinée des fenêtres d'angle : l'immeuble semble aussi dessiné pour être vu de trois-quarts.

La finition est très soignée : pierre agrafée sur la façade, menuiseries métalliques parfaitement réalisées, rotonde dans le hall d'entrée, ascenseur colonne de fer et de verre. Jusqu'aux descentes d'eau, en cuivre et de section carrée, pour ne pas nuire à l'esthétique de l'ensemble.

(1) « Viollet-le-Duc et le rationalisme médiéval ». Ed. Vincent Fréal (1934)

A VOIR AUX ALENTOURS :
– *RAGUENET et MAILLARD / Logements / 32,*
  rue Varenne (1932)

– *G. GILBERT / Ecole nationale d'administration*
  / 13, rue de l'Université - dans la cour (1978)

Pierre CHAREAU.
Bernard BIJOVET, collab.

1931

« Maison de verre »

31, rue Saint Guillaume / dans la cour (7ème)
Métro : Saint Germain des Prés, Sèvres-Babylone
Maître d'ouvrage : Docteur JEAN DALSACE

Commandée par un homme d'avant-garde – promoteur du planning familial et féru d'architecture moderne – la « Maison de verre » est une véritable maison-laboratoire, mettant en pratique une grande idée du Mouvement moderne : trouver dans l'industrie et la technologie l'esthétique et l'art de vivre propres au 20e siècle. Ici Chareau, créateur de meubles, donne libre cours à son amour du métal et de la mécanique et illustre d'une manière très personnelle la définition du logement « machine à habiter » de Le Corbusier.

Translucide de part en part, la maison est uniquement éclairée par ses façades en dalles de verre. Solution si audacieuse à l'époque que le fabricant de dalles refuse d'en garantir l'étanchéité. Autres innovations : l'emploi exclusif de matériaux industriels standardisés, la totale mobilité intérieure (cloisons, escaliers etc...), l'ossature métallique où les rivets sont laissés apparents, de même que les câbles électriques et la tuyauterie.

La partie haute, en maçonnerie traditionnelle, est ce qui reste de l'ancien hôtel particulier occupant le terrain : la vieille locataire du dernier étage refusant obstinément de déménager, il avait alors fallu « glisser » la nouvelle construction sous ce qui subsistait de l'ancienne...

53

ACT-ARCHITECTURE, P. COLBOC, R. BARDON et J.P. PHILIPPON.

Gae AULENTI : aménagement intérieur et mobilier
(bâtiment originel : Victor LALOUX, 1900)

1986

Musée d'Orsay (50.000 m²)
7, quai Anatole France (7ème)
Métro : Solférino
Maître d'ouvrage : ETABLISSEMENT PUBLIC DU MUSEE D'ORSAY

On a frisé la catastrophe : ouverte pour l'Exposition Universelle de 1900, la gare d'Orsay avait été pratiquement désaffectée en 1939, ses quais n'étant pas assez longs pour accueillir les trains électriques. En 1971, le principe de la destruction est acquis. Les protestations qui accompagnent la démolition des Halles de Baltard la sauvent : elle ne sera pas remplacée par un grand hôtel de 1.000 chambres. Chainon entre le Louvre et Beaubourg, l'ancienne gare deviendra le musée de la fin du 19e siècle – depuis la fin du Romantisme jusqu'au seuil du Cubisme (1850-1914) – avec une forte section d'architecture, de photo et de mobilier.

Choisi sur concours devant cinq autres concurrents qui préconisaient tous une démolition partielle, le projet d'ACT conserve intégralement les bâtiments existants, tout aussi représentatifs de l'époque que les œuvres qui y seront exposées. Les architectes ont voulu « remodeler la gare sans en rompre l'unité ». Pour cela, ils ont « recomposé les volumes intérieurs avec franchise, en intervenant sur les échelles, afin d'obtenir une succession d'espaces diversifiés », petites salles d'expositions ouvrant sur la grande nef, « vaisseau central innondé de lumière » par 25.000 m² de verrières.

Christian de PORTZAMPARC

Frédéric BOREL, ass.

1984

Conservatoire de musique et foyer de personnes âgées

7, rue Jean Nicot (7ème)
Métro : Invalides
Maître d'ouvrage : RIVP

54

Portzamparc a nettement séparé les deux parties du programme, liées à l'origine : « le conservatoire, où s'affirme l'identité propre d'un équipement public, et le foyer de personnes âgées, architecture domestique, liée au reste de la ville ». Il en résulte, entre eux, la « création d'un espace qui éclaire la rue et met les deux bâtiments en relation, dans la tension de leurs volumétries différentes ».

Au coin de la rue de l'Université, « artère monotone et trop bien remplie », Portzamparc a cherché à « créer un événement en construisant un édifice-signal autonome et bien identifiable pour le conservatoire ». Celui-ci obéit toutefois à de strictes nécessités fonctionnelles : « socle surélevé contenant les salles d'orgue et de percussion ; premiers étages largement ouverts pour l'administration ; étages supérieurs plus opaques pour une meilleure isolation acoustique des salles de musique.

Le fronton de la salle de danse, au dernier étage, n'est pas simplement une anecdote néo-classique marquant « l'institution », tout comme les façades en pierre. Il est aussi le « point de convergence de tous les éléments du bâtiment qui exalte son autonomie de monument ». Et, « pour casser ce que ce fronton peut avoir d'académique », un escalier extérieur dissymétrique « fait de la circulation verticale, dans l'école, une promenade visuelle, dans la rue ».

En revanche, sur la rue Jean Nicot le foyer de personnes âgées, « architecture domestique », accepte d'être un « morceau de la paroi de la rue et se rattache calmement à l'alignement des immeubles voisins ».

**Jean-Marie GARET,
Gérard LAMBERT
et Jean THIERRART**

Designer : L'Œuf centre
d'études

1974

Ambassade d'Afrique
du Sud

59, quai d'Orsay (7ème)
Métro : Invalides
Maître d'ouvrage :
**AMBASSADE D'AFRIQUE
DU SUD**

Comment faire des fenêtres sans en faire vraiment ?
Les architectes voulaient tout à la fois « respecter le caractère secret d'une ambassade et faire bénéficier les occupants de l'exceptionnelle vue panoramique sur les berges de la Seine ». Mais ils refusaient « une façade plate et morte en verre fumé, afin de rester en harmonie avec les immeubles environnants aux fenêtres verticales ».
Solution : des « boucliers en fonte d'aluminium moulée ». De l'intérieur, « ils préservent l'intégralité de la vue ». De l'extérieur, « leur forme – fendue au milieu et aux côtés supérieurs obliques – figure des fenêtres symboliques mi-ouvertes, dont la verticalité est en accord avec l'environnement ».

A VOIR AUX ALENTOURS :
– *A. LECONTE / Logements / 67, quai d'Orsay*
  (1935)
– *L. AZEMA / Logements / 91, quai d'Orsay et 24,*
  rue Cognacq-Jay (1930)

56 **Michel ROUX-SPITZ.** *1929*

Logements de standing

89, quai d'Orsay et 22, rue Cognacq-Jay (7ème). Métro : Invalides, Alma-Marceau

Un des rares maîtres reconnus de cette « architecture intermédiaire » de l'entre-deux-guerres qui pratiquait avec talent l'art d'être moderne en restant classique.
Refusant les « exagérations expressionnistes ou sectaires des prophètes en architecture moderne », Roux-Spitz en appelle à « l'équilibre français ». Il donne un coup de jeune aux immeubles bourgeois du tournant du siècle en les dépouillant de toute ornementation et en géométrisant leurs éléments, tel le traditionnel bow-window de la pièce de réception.
La finition particulièrement soignée et luxueuse, à l'image de sa clientèle, s'inspire de la même tradition néo-classique. Ainsi, « il ne peut être question de laisser apparente les structures en béton armé » de l'immeuble. Sa façade est donc recouverte de pierre d'Hauteville blanche, agrafée « selon la méthode employée à Rome ». De même, les menuiseries métalliques sont d'une exceptionnelle qualité.
Ces principes, appliqués avec élégance dans plusieurs immeubles parisiens ont fait de Roux-Spitz un des architectes les plus célèbres de son époque, et ont contribué à créer ce que lui-même appelait « l'Ecole de Paris ».

A VOIR AUX ALENTOURS :
- *E. SCHEURET / Logements / 11, av. Franco-Russe (1939)*
- *J. LAVIROTTE / Logements / 29, av. Rapp (1901)*
- *J. LAVIROTTE / Logements / 3, square Rapp (1900)*

- *O. VAUDOU et R. LUTHI / Logements / 102, rue Saint Dominique (1974)*
- *L. CHAUVIERE / Logements / 41, av. Charles Floquet (vers 1930)*
- *J. BONNIER / Logements / 5, av. Emile Acollas (1930)*

Bernard ZEHRFUSS, Marcel BREUER et Pier-Luigi NERVI

57

1958
UNESCO

Place de Fontenoy (7ème)
Métro : Ségur
Maître d'ouvrage : ORGANISATION DES NATIONS UNIES

Un « bâtiment-Janus », disait Le Corbusier : il « fait un salut respectueux au passé, tout en s'ouvrant vers l'avenir ».

Côté Ecole Militaire, une « façade sobre et intime qui ferme le demi-cercle de la place de Fontenoy en ne s'imposant pas face à l'environnement historique. La façade sur l'avenue de Suffren, en revanche, est monumentale, à l'échelle du vaste espace qui s'étend devant elle, et résolument moderne ». : brise-soleil, porche en coque de béton brut, exposition permanente de sculptures modernes, conformément à la vocation culturelle de l'UNESCO etc.

Dans le hall du rez-de-chaussée, les énormes piliers de béton blanc sablé ont été dessinés par Nervi, de même que le porche.

A VOIR AUX ALENTOURS :
– *VENTRE / Ministère de la Marine marchande / 3, place de Fontenoy (1932)*
– *L. AUBLET / Ministère du Travail / 1, place de Fontenoy (1930)*
– *X... / Logements / 29, rue du Général Bertrand (1934)*
– *L.H. BOILEAU / Magasins du Bon Marché / 38, rue de Sèvres (1923)*
– *X... / Caserne / 8, rue Oudinot et 49, rue de Babylone (1935)*

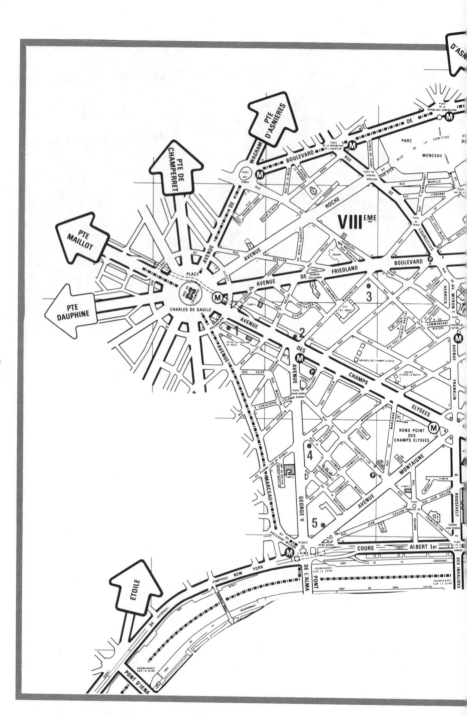

VIII
ARRONDISSEMENT

60

Pierre DUFAU

1975
Immeuble Publicis

133, av. des Champs-Elysées (8ème)
Métro : Etoile
Maître d'ouvrage : PUBLICIS

Une gageure : construire un immeuble « assez neutre pour ne pas s'imposer de manière malpolie dans la perspective de l'Arc de Triomphe, mais qui ait tout de même suffisamment de personnalité pour être représentatif de Publicis, la plus célèbre société française de communication ».

Côté discrétion, « un volume neutre qui ne dépasse pas dans le profil de l'avenue des Champs-Elysées, et une façade en vitrage qui réfléchit le ciel et l'Arc de Triomphe ». L'angle de la rue Vernet a été étudié de manière très savante, pour « obtenir des arêtes saillantes et non un banal pan coupé, forme molle et anti-architecturale ».

Côté représentation, Dufau a joué la surprise sur les terrasses « en suivant, avec un siècle de retard, l'impératrice Eugénie qui avait demandé à l'architecte Hittorf de faire une couronne de verdure autour de l'Arc de Triomphe ». Double avantage : « créer l'événement publicitaire qui signale l'immeuble d'une société pas comme les autres, et cacher les souches de cheminées et surélévation disgracieuces visibles sur les toits de l'avenue depuis la tombe du soldat inconnu ».

A VOIR AUX ALENTOURS :
– L.H. BOILEAU et C.H. BERNARD / Bureaux / 101, Champs-Elysées (1931)

Jean DESBOUIS.

LEDIEU et ZIPPER, collab.

1929

Bureaux du Poste
Parisien

*116 bis, av. des Champs-
Elysées (8ème)
Métro : George V
Maître d'ouvrage :
« LE PETIT PARISIEN »*

61

Quelques mois avant Colin rue Feydeau (cf. p. 12), Desbouis termine ce spectaculaire immeuble « en accordéon » dont l'architecture tranche volontairement sur l'environnement classique de l'avenue, pour signaler une activité alors symbole de modernisme : une station de radio.

Cet objectif publicitaire était appuyé par un jeu sur la couleur des matériaux de la façade : bow-windows en travertin rose, rez-de-chaussée et premier étage en granit bleu et appuis de balcons chromés. Ces deux derniers éléments ont aujourd'hui disparus. En revanche, d'inélégantes enseignes lumineuses ont été accrochées à la façade, cassant le jeu des volumes en chevrons.

Le système de l'accordéon permet en outre d'offrir aux occupants de l'immeuble le maximum de vue sur les Champs-Elysées, à la fois vers l'Arc de triomphe et vers la place de la Concorde.

A VOIR AUX ALENTOURS :
- *J. DESBOUIS / Bureaux / 1, rue Lord Byron (1933)*
- *G. ACS et M. NATALE / Bureaux / 9, rue de Berri (1970)*
- *G. ACS et M. NATALE / Ecole de la Croix-Rouge / 6, rue de Berri (1969)*

- *M. NOVARINA / Caisse de l'Energie / 18 bis, rue de Berri (1978)*
- *C. LEFEVRE, M. JULIEN et L. DUHAYON / Arcades des Champs-Elysées / 59, rue de Ponthieu (1925)*

L. BECHMANN et CHATENAY

1932
Shell building

45, rue d'Artois et 29, rue de Berri (8ème)
Métro : George V, Saint Philippe du Roule
Maître d'ouvrage : PETROLES JUPITER

Cet ensemble de 60.000 m² de bureaux – le plus important de Paris à l'époque de sa construction – a été conçu par un architecte qui revenait d'un voyage d'étude aux Etats-Unis comme une transposition à l'échelle parisienne des buildings new-yorkais témoignant de la puissance des sociétés multinationales naissantes.

« Vos méthodes sont modernes, ne gardez pas à votre affaire une apparence désuète. L'immeuble est à l'affaire ce que le vêtement est à l'homme », indiquaient les promoteurs dans la plaquette de présentation de l'immeuble.

Construit selon des techniques ultra-modernes dans le délai record de 20 mois, il bénéficia des installations les plus perfectionnées venues d'outre-Atlantique : chauffage par panneaux radiants incorporés aux plafonds, ventilation, batteries d'ascenseurs automatiques etc.

Une galerie commerciale monumentale, aujourd'hui fermée au public, traversait de part en part le bâtiment où travaillent plus de 1.500 employés.

A VOIR AUX ALENTOURS :
- *E.L. VIRET / Bureaux / 3-5, av. de Friedland (1928)*
- *E. HUGUES / Logements / 4, rue Berryer (1930)*
- *H. SAUVAGE / Logements / 22, rue Beaujon (1925)*
- *J. GINSBERG / Logements / 34, rue Beaujon (1969)*
- *AUBURTIN, GRANET et MATHON / Salle Pleyel / 252, rue du Faubourg Saint-Honoré (1927)*

Nikola ILIC, Pierre SICARD et Pierre MOLINS

63

1974

Centre d'affaires Georges V

30, av. Georges V (8ème)
Métro : Georges V, Alma-Marceau
Maître d'ouvrage : **CONSORTIUM PARIS FONCIER**

Immeuble de prestige construit pour la Fédération de la chaussure, alors présidée par José Bidegain, chef de file du patronat le plus moderniste.

« Le principe a été de donner à chacune des quelques 70 sociétés adhérentes à la fédération un bureau qui lui serve de vitrine parisienne pour sa production. Chaque bureau possède une baie vitrée de 7 m² qui symbolise cet effet de vitrine ».

Les architectes ont cherché à s'intégrer dans le quartier en jouant sur les grands aplats qui composent la façade : « une tour pour marquer nettement le coin de la rue, et des volumes bas à droite et à gauche pour se raccorder en douceur avec les immeubles mitoyens ». Quant au « verre pailleté de la façade – une première à Paris – il est conçu comme un grand miroir qui reflète les immeubles alentours ».

Rançon du modernisme sophistiqué – notamment la gestion automatisée de l'immeuble par un ordinateur remplissant 2.000 fonctions – un coût d'entretien très élevé. Une des raisons qui expliquent que l'immeuble ait dû être vendu à un groupe de banques du Moyen-Orient, à la fin des années 70.

A VOIR AUX ALENTOURS :
– *AURA-3 / Façade de l'immeuble Rochas / 33, rue François 1er (1974)*

– *R. et H. BODECHER / Logements / 35, av. Montaigne (vers 1932)*

64

Auguste PERRET / Henry van de VELDE. *1913*
Théâtre des Champs Elysées

15, av. Montaigne (8ème). Métro : Alma-Marceau

Premier architecte du théâtre des Champs-Elysées, le Belge Henry van de Velde, un des maîtres de l'Art Nouveau, avait fait appel à l'entreprise Perret pour en dessiner la savante ossature intérieure en béton armé. Perret se glisse tant et si bien dans le projet que Van de Velde en est évincé. Il démissionne quelques mois plus tard, et l'entreprise Perret reste seule architecte-entrepreneur. La polémique n'est pas encore close, pour déterminer ce qui revient à l'un ou à l'autre.

Perret a fait ici un bâtiment qui transige quelque peu avec les principes qu'il clamait haut et fort. Il dénonçait « les Romains qui ont introduit la médiocre pratique du placage » et affirmait : « le béton se suffit à lui-même ». Cela ne l'empêche pas de plaquer sa façade avec du marbre blanc d'Auvergne.

De même, il estimait que « la charpente est le plus bel ornement de l'architecture ». Ici, seul le portique à quatre éléments de la façade annonce les quatre groupes de poteaux de 25 m. de haut qui supportent la charpente, abritant trois salles de 2.100, 750 et 250 places. En revanche à l'intérieur, les poutres ont été laissées visibles, ce qui a provoqué un scandale lors de l'ouverture du théâtre.

La façade, initialement sans fenêtre, est décorée de sculptures d'A. Bourdelle.

A VOIR AUX ALENTOURS :
– *P. PARAT et M. ANDRAULT / Bureaux / 25, rue Jean Goujon (1964)*
– *J. STARKIER et V. VASARELY (graphisme) / Façade immeuble RTL / 22, rue Bayard (1971)*
– *R. ANGER / Bureaux / 25, rue Bayard et 42, av. Montaigne (1965)*
– *R. et H. BODECHER / Logements / 46, av. Montaigne (vers 1930)*
– *R. et H. BODECHER / Logements / 3, av. Matignon (vers 1930)*

Vittorio MAZZUCCONI

1976
Bureaux (2.900 m²)

22, av. Matignon (8ème)
Métro : Franklin-Roosevelt,
Saint-Philippe-du-Roule
Maître d'ouvrage : Sté. J.
WALTER THOMPSON

L'agence de publicité Walter Thompson voulait un immeuble « spectaculaire » symbolisant sa créativité. La ville de Paris, elle, exigeait une intégration en douceur de la nouvelle façade dans ce quartier hyper-classique.

Mazzucconi a combiné ces exigences contradictoires dans un immeuble au contenu symbolique, qui exprime en même temps sa préoccupation principale : « le drame de la rupture de notre civilisation industrielle par rapport à celles qui l'ont précédé ». « J'ai mis la mémoire de l'ancien au milieu du moderne en intégrant dans la façade en verre de fausses ruines classiques. Car en période de crise, les nouvelles civilisations réutilisent les morceaux des anciennes. Ici, l'échancrure de la ruine évoque tout autant l'explosion qui – comme au Parthénon – a ravagé l'ancienne civilisation, que les catastrophes qui menacent la nôtre. »

Quant à l'intégration de l'immeuble, elle est soulignée par les menuiseries métalliques qui rejoignent les corniches des bâtiments mitoyens.

Cette construction spectaculaire n'a coûté que 5 % de plus qu'un traditionnel immeuble de bureaux.

A VOIR AUX ALENTOURS :
– *C. SICLIS / Hôtel Castiglione / 40, rue du Fbg Saint-Honoré (1932)*
– *B. ELKOUKEN / Logements / 52, rue du Fbg Saint-Honoré, 2ème cour (vers 1934)*

– *P. LA MACHE / Bureaux / 21, rue de la Ville l'Evèque (1976)*
– *M. et R. HENNEQUET / « Palacio de la Madeleine » / 11, rue Tronchet et 27, rue Chauveau-Lagarde / (1932)*

**Jacques VITRY
et Dominique
HERTENBERGER**

1982
16 logements de
standing

4, rue Roquépine (8ème)
Métro : Saint-Augustin
Maître d'ouvrage : ETUPRO

Essai de « réinterprétation contemporaine et sans pastiche de la démarche de l'architecture classique ».

La façade, symétrique autour d'un axe, refuse « l'empilement d'étages tous identiques ». Elle est découpée en « trois parties bien distinctes : soubassement, étages nobles – formés de duplex ou d'appartements standard groupés par deux – et combles en ardoise, comme les toitures du reste de la rue ».

Dans le même esprit – « offrir à la ville un véritable décor urbain » – les finitions ont été particulièrement soignées par des architectes qui estiment que, sur une façade, « l'argent doit surtout être dépensé sur les cinq premiers mètres de hauteur, ceux qui sont directement et immédiatement perçus par le passant ».

A VOIR AUX ALENTOURS :
– *M. HERBERT / Bureaux / 21, rue d'Astorg (1976)*
– *L. FAURE-DUJARRIC / Bureaux / 25, rue d'Astorg (vers 1930)*
– *A. FOURNIER / Bureaux / 34, rue Pasquier (1929)*
– *G. MASSE et F. ROY / Bureaux / 18, rue de Courcelles (1970)*

Henri SAUVAGE et
Charles SARRAZIN

1913

Magasins Majorelle

126, rue de Provence (8ème)
Métro : Havre-Caumartin
Maître d'ouvrage :
MAJORELLE

67

Sauvage avait construit en 1898, pour l'ébéniste Majorelle, sa maison de Nancy, véritable manifeste de l'Art Nouveau. Quinze ans plus tard, il édifie pour le même Majorelle un immeuble mixte destiné à accueillir les bureaux, magasins d'exposition et ateliers du constructeur de mobilier.

Preuve de l'éclectisme de Sauvage, architecte inclassable, il n'y a pas trace ici d'Art Nouveau, pas plus que des gradins en céramique blanche, dont il venait tout juste de donner un spectaculaire exemple rue Vavin (cf. p. 44).

Il joue uniquement sur l'opposition franche – et inhabituelle – des étages qui dessinent un mouvement ascendant et indiquent clairement les différentes fonctions du bâtiment : monumentaux aux 1er et 2ème étages pour les galeries d'exposition, qui se poursuivent à l'arrière du bâtiment par une cour couverte d'une verrière ; plus intimes – avec des bow-windows arrondis – pour les bureaux des 3ème et 4ème étages ; larges et « industriels » pour les ateliers de fabrication, aux derniers étages.

A VOIR AUX ALENTOURS :
– *ARCHITECTURE-STUDIO* / *Façade d'école* /
  9, bd. de Courcelles (1984)

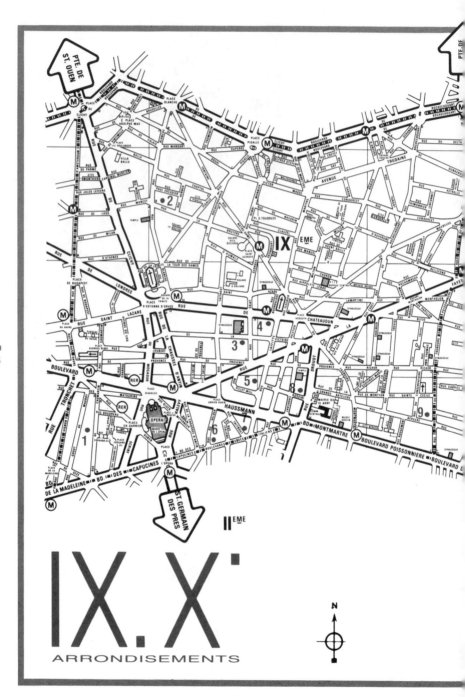

IX. X^e

ARRONDISEMENTS

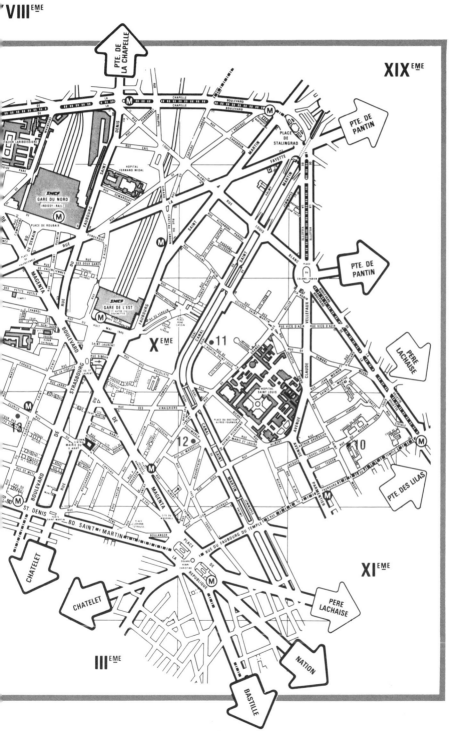

Michel PROUX et Jean-Michel DEMONES

1982
Banque Franco-Koweitienne

17, rue Caumartin (9ème)
Métro : Madeleine, Havre-Caumartin, Opéra
Maître d'ouvrage :
KUWAITI-FRENCH BANK

Solution élégante d'un problème fréquent à Paris, le comblement d'une « dent creuse ». La façade est un simple écran posé devant un banal immeuble des années 60, construit en retrait de l'alignement de la rue, ainsi que l'exigeait alors la réglementation.

Tout en donnant à sa façade de verre à grande arcade le caractère de « représentation de prestige » voulu par son client, l'architecte a cherché à « l'intégrer dans la continuité de la rue, en utilisant des matériaux et des éléments qui rappellent et prolongent les immeubles voisins : à droite, des bandeaux de pierre, à gauche un garde-corps en fer forgé et une fenêtre de proportions identiques à sa voisine. En haut, la structure métallique reprend le gabarit des immeubles mitoyens ».

Cette façade-écran crée en outre une « énorme serre qui améliore considérablement l'isolation thermique et phonique de l'immeuble ».

A VOIR AUX ALENTOURS :
– *G. VEISSIERE / Banque marocaine du commerce extérieur / 37, rue Caumartin (vers 1930)*
– *ACT-ARCHITECTURE et R. HUMBERT-JEAN / Bureaux / 10, place de Budapest (1982)*
– *H. BARANTON / Immeuble Vals / 30, rue de Londres (vers 1920)*

Louis GUIDETTI

1929

Bureaux

48, rue la Bruyère (9ème)
Métro : Saint-Georges, Liège
Maître d'ouvrage :
COMPAGNIE AUXILIAIRE DE
NAVIGATION

Architecture en « trompe-l'œil » : ce siège social d'une compagnie de navigation, construit sur un terrain étroit (11 m) et profond (30 m), se donne des airs d'hôtel particulier.

La pierre discrètement travaillée qui cache les structures en béton armé, les baies larges – 3 m – et donc peu nombreuses, la minutie de la finition, contribuent à donner à ce bâtiment un côté « intime », à l'opposé du caractère monumental des immeubles de bureaux, inspirés des « buildings » américains, qui se construisaient alors à Paris (cf. p. 62 et 73).

A VOIR AUX ALENTOURS :
– *X... / Bureaux / 10, rue Henner (vers 1930)*
– *M. JULIEN et L. DUHAYON / Logements / 18,*
rue de la Rochefoucauld (1930)
– *C. SICLIS / Théâtre Saint-Georges / 51, rue*
Saint-Georges (1928)
– *G. WALBAUM / Réhabilitation de bureaux / 56,*
rue de la Victoire (cour) (1984)
– *P. PATOUT / Façade des Galeries Lafayette / 25-*
31, rue de la Chaussée d'Antin (1932)

Jean BALLADUR et Benjamin LEBEIGLE,
Jean-Bernard TOSTIVIN, collab.

1958
Bureaux

37, rue de la Victoire (9ème)
Métro : le Peletier. Notre-Dame de Lorette
Maître d'ouvrage :
CAISSE CENTRALE DE REASSURANCE

Un immeuble « métaphore de navire » pour « dynamiser » un banal coin de rue parisien.

« Afin d'évoquer la proue d'un bateau, le bâtiment est placé en porte-à-faux sur un piloti, et la jonction avec la construction voisine est en retrait ». Les « garde-corps-bastingages, et le dernier étage, en forme de cabine de pilotage » participent aussi de cette inspiration transatlantique chère à Patout (cf. p. 159).

Premier immeuble parisien à murs-rideaux et ossature totalement en acier, il ne comporte aucun poteau porteur intérieur, et ses cloisons sont donc entièrement mobiles et adaptables en fonction des besoins. La façade en glace émaillée résiste remarquablement bien au vieillissement.

Toutes les proportions – jusqu'au dallage du hall et l'escalier en forme d'épure – ont été calculées avec le « Modulor », système de proportions calquées sur celle du corps humain, inventé par Le Corbusier.

Raymond FEVRIER

1933
Bureaux

21, rue de Chateaudun (9ème)
Métro : Notre-Dame de Lorette. Le Pelletier
Maître d'ouvrage : « LA PATERNELLE »

Exemple des immeubles de bureaux monumentaux influencés par les « buildings » américains, réalisés à Paris dans les années 30, en réaction contre « la cellule cubiste » (1) (cf. notamment le « Shell building » p. 62).

Construit en à peine plus d'un an, il bénéficiait alors des derniers perfectionnements techniques : climatisation dans les planchers, batteries d'ascenseurs express et omnibus etc.

Même volonté de modernisme dans l'organisation de l'espace intérieur conçu pour « obtenir les meilleurs rendements en supprimant presque totalement les garçons de bureau qui d'ordinaire encombrent les couloirs de la plupart des établissements de ce genre » (1).

Le décorateur Jacques-Emile Ruhlmann a participé à l'aménagement intérieur de l'immeuble.

(1) Citations extraites du « Bâtiment Illustré » (1933).

A VOIR AUX ALENTOURS :
– F. BALLEYGUIER / Bureaux / 33, rue la Fayette (1932)
– X... / Bureau de poste / 22, rue de Provence (vers 1925)

**Pierre DUFAU et
Max ABRAMOVITZ**

1969
Banque Rothschild

*21, rue Laffitte (9ème)
Métro : Richelieu-Drouot,
le Peletier*
Maître d'ouvrage :
BANQUE ROTHSCHILD

74

Une implantation insolite – perpendiculaire à la rue – qui ne doit rien au hasard, pour ce siège social d'une grande banque d'affaires.

« Ayant fait le choix de se transformer en établissement accessible au public, la Banque Rothschild voulait donner l'image d'un établissement ouvert sur la vie. » Une préoccupation qui est mise à profit par les architectes, désireux « d'égayer et d'aérer une rue triste ».

Résultat : « Les jardins suspendus qui entourent le bâtiment – au lieu d'être relégués dans une cour intérieure privée – sont visibles par le passant, transformant cet austère siège social en construction accueillante, et apportant au quartier une bouffée d'air et de verdure ».

Michel ROUX-SPITZ

1929
Magasin d'exposition
et bureaux
(immeuble Ford)

36, bd. des Italiens (9ème)
Métro : Opéra,
Chaussée d'Antin
Maître d'ouvrage : FORD

(état originel)

75

Roux-Spitz a conçu cet immeuble, abritant au rez-de-chaussée le magasin d'exposition des automobiles Ford, comme un « édifice publicitaire ». Il est aujourd'hui très dégradé, notamment par la transformation du grand hall du rez-de-chaussée en restaurant « typique ».

Par sa légèreté et ses matériaux d'avant-garde, l'immeuble devait symboliser le modernisme et le dynamisme de l'industrie automobile. Sa structure en forme de rayons permet de laisser complètement libre le rez-de-chaussée de grande hauteur. Les poteaux porteurs et l'épais bandeau du premier étage étaient gainés de tôle chromée, matériau alors à l'avant-garde de l'innovation technologique.

Toujours dans une optique publicitaire, Roux-Spitz avait particulièrement étudié l'aspect nocturne de son immeuble : éclairage du hall et des bandes horizontales des fenêtres, double colonne d'enseignes etc. Véritable affiche lumineuse géante, faite aussi pour être vue la nuit.

Pierre DUFAU. *1976*

Siège de la Banque
Nationale de Paris

2, rue Taitbout (9ème)
Métro : Richelieu-Drouot
Maître d'ouvrage : B.N.P.

76

La célèbre « Maison Dorée » (au premier plan à droite), où le Swann de Marcel Proust recherchait désespérément Odette, est une miraculée : « C'est Maurice Druon, alors ministre de la Culture, qui a empêché sa destruction au dernier moment, cédant aux pressions d'un comité de défense du quartier ».

Le permis de construire a donc été annulé et Dufau a « conçu en une journée et dans la fureur contre les passéistes » un nouveau projet destiné à remplacer le « grand ensemble moderne » qu'il se proposait d'édifier sur les décombres des immeubles anciens.

Quelques mois avant la fin de sa vie, il se disait « très content de cet exercice d'intégration du neuf dans de l'ancien ». La recette : « des volumes en harmonie de masse, dont la jonction est assurée en douceur par une cavité plantée de verdure qui permet d'échapper au heurt brutal des deux façades de styles très différents ».

Dans son élan, il a même « amélioré » la Maison Dorée en lui construisant sur la rue Taitbout deux nouvelles travées « pour lui donner plus d'épaisseur » et en la dotant de vitres noires « afin d'élargir visuellement les fenêtres dont les proportions originelles étaient mauvaises ».

A VOIR AUX ALENTOURS :
– *A. MARRAST et C. LE TROSNE / BNP / 18,*   – *C. LUNEL / Cinéma « Maxeville » / 14, bd.*
   bd. des Italiens (1932)   *Montmartre (vers 1933)*

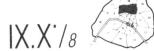

Jean-Jacques FERNIER et André BIRO

1980
Hôtel des ventes

9, rue Drouot (9ème)
Métro : Richelieu-Drouot
Maître d'ouvrage : MEUNIER PROMOTION

Pour échapper au discrédit lié aux multiples horreurs construites dans l'après-guerre, de nombreux architectes des années 70 cherchent le salut dans un « rétro » éclectique. Pour la reconstruction de la plus que centenaire salle des ventes de l'Hôtel Drouot, Biro et Fernier ont voulu faire une « réinterprétation surréaliste de l'architecture haussmannienne », sorte de pastiche détourné.

Comme ces modèles, le bâtiment a « un volume massif et sans décrochement ». Mais les architectes ont surtout cherché à composer un décor urbain à base de multiples « clins d'œil » : panneaux de façade en fonte d'aluminium moulée « évoquant le macramé des rideaux de concierge, personnage central du 19e siècle ; avancées vitrées au coin des étages supérieurs, inspirées des lanternes qui surmontent les rotondes parisiennes construites à la fin du siècle dernier » etc. Seul « vrai » élément ancien, les châssis de fenêtres métalliques sur la rue Rossini datent de 1856 : ils ont été récupérés sur l'ancienne salle des ventes.

A VOIR AUX ALENTOURS :
– H. MARTY / Grand Orient de France / 16, rue
  Cadet (1969)
– PICO / Folies Bergères / 30, rue Richer (vers
  1925)

François LE CŒUR

1912
Central téléphonique

*17, rue du Faubourg
Poissonnière (9ème)
Métro : Bonne Nouvelle
Maître d'ouvrage : PTT*

« François Le Cœur est un de nos meilleurs architectes » écrivait en 1934 Auguste Perret (1). Aujourd'hui, ce précurseur de l'architecture moderne est quelque peu oublié.

Ainsi, le central téléphonique de la rue Bergère est un bâtiment strictement fonctionnel. Aucune décoration : « rien ne vient rendre l'œuvre aimable ou accueillante, tous les petits moyens ont été éliminés. L'édifice est monumental et industriel, il se contente de l'être ».

Rue Bergère, des grandes baies vitrées éclairent les locaux techniques du central, qui se terminent par un pan de mur aveugle rue du Faubourg Poissonnière, sur laquelle ouvrent les bureaux aux fenêtres plus petites. Le dernier étage est consacré aux employés : cantine et salles de repos.

Résultat : un immeuble « attaqué de tous côtés. Personne ou presque ne comprend, ni le public, ni les techniciens. Certains vont même jusqu'à demander la destruction de cette architecture « Munichoise ». »

(1) Toutes les citations sont extraites de « L'architecture d'Aujourd'hui » (1934, n° 10).

Bernard KOHN

1984

Reconversion d'un lavoir
en 14 logements

8 bis, rue du Buisson-Saint-
Louis / dans la cour (10ème)
Métro : Goncourt, Belleville
Maître d'ouvrage :
COPROPRIETE DIRECTE

Acte militant autant qu'architectural, ce projet « d'habitat autogéré » a été mené en collaboration constante entre l'architecte et un groupe de familles qui avaient acquis un ancien lavoir, situé au fond d'une cour. Il a fallu cinq ans d'efforts et plus de cent réunions pour mener à bien cette transformation, pour un prix de 8.500 F (1984) le mètre carré.
Obligé par l'administration de conserver la structure en bois et l'enveloppe générale de l'ancien lavoir, le groupe a voulu « éviter de construire au cœur de l'îlot une sorte de phalanstère isolé de la vie extérieure ». Pour cela, le bâtiment a été « recomposé autour d'un axe central », passage intérieur devant relier les rues du Buisson Saint-Louis et du Faubourg du Temple.
Les logements – en duplex pour la plupart – ouvrent sur cette « rue » intérieure, ainsi que les nombreux espaces communs : salles de réunions, de jeux etc.

A VOIR AUX ALENTOURS :
– *G. DARSONVAL et M. DUPLAY / Transfor-*
mateur électrique / 18, rue du Buisson-Saint-
Louis (1983)
– *D. BADANI et P. ROUX-DORLUT / Nouvel*
Hôpital St. Louis / 1-19, rue Juliette Dodu (1984)

Michel DUPLAY

1985
Foyer de personnes
âgées et école
maternelle

126, quai de Jemmapes
(10ème)
Métro : Colonel Fabien
Maître d'ouvrage :
VILLE DE PARIS

Fidèle à sa théorie de « réinterprétation contemporaine de l'architecture traditionnelle parisienne » (cf. p. 237), Duplay a voulu donner à cet immeuble un
« caractère monumental, en proportion avec l'espace du canal » qui coule à ses
pieds.
Les bow-windows, éléments parisiens traditionnels depuis la fin du 19e siècle,
forment intérieurement des « jardins d'hiver » pour chacun des studios occupés par
les personnes âgées, et des serres pour les salles de classes de l'école maternelle.
Les matériaux – béton blanc, briques roses et zinc gris-bleu – « cherchent à renouer
avec l'esprit de la place des Vosges, lieu éminemment parisien ».

A VOIR AUX ALENTOURS :
– *A. GRUMBACH / Logements et équipements /*
116, quai de Jemmapes (1986)

Lionel et Daniel BRANDON

81

1939
Groupe scolaire
10, rue de Marseille (10ème)
Métro : Jacques Bonsergent
Maître d'ouvrage : VILLE DE PARIS

Dans les années 30, Paris connaît une deuxième vague de constructions d'établissements scolaires, après celle des « écoles Jules Ferry » (de 1887 à la Première Guerre Mondiale) : 24 groupes scolaires y sont réalisés entre 1930 et 1940 (1).

A la différence de leurs prédécesseurs, noyés dans l'alignement de la rue, ils opposent une architecture aux volumes nettement affirmés, « monuments de quartier » tranchant nettement sur les immeubles qui les entourent. Elément essentiel, la cour devient visible de la rue, apportant air et verdure à l'environnement.

Cette volonté de se servir d'un équipement public pour améliorer la ville se marque également ici par la qualité de la finition : briques – uniquement décoratives, la structure étant en béton armé – terrasse à tonnelle, porte en ferronnerie rue de Marseille etc.

(1) cf. « Groupes scolaires sur les anciennes fortifications de Paris ». E. Cascail. A. Grandguillot et F. Miltat, « Monuments Historiques » n° 144 (avril-mai 1986).

A VOIR AUX ALENTOURS :
- *Léon SCHNEIDER / Bureaux / 35, rue Lucien Sampaix (1934)*
- *Agence d'architecture HBM / Logements / 3, 5, rue Legouve (1935)*
- *D. DASTUGUE / Entrepôts / 11, rue Léon Jouhaux (1957)*
- *P. VERNY / Bureaux / 2 ter, bd Saint-Martin (1972)*

Jean-Jacques ORY

1980
Reconversion d'une
imprimerie en locaux
d'activités

9, rue des Petites Ecuries
(10ème)
Métro : Château d'Eau
Maître d'ouvrage : HERTEL

La reconversion de cette ancienne imprimerie du *Parisien Libéré* en locaux d'activités – salles de danse, de gymnastique, ateliers etc. – prévoyait la construction de deux nouveaux étages. La principale préoccupation de l'architecte a été de « trouver les éléments propres à faire la liaison entre l'ancienne architecture et la nouvelle ».

Le « rythme composite » de la partie haute de la façade « rachète l'austérité industrielle du premier étage en briques. Les bow-windows et les carrelages blancs se répandent vers le bas, comme des pansements qui accrochent les deux architectures entre elles ».

A VOIR AUX ALENTOURS :
– C. THOMAS et F. DUMARCHER / *Bureaux* /
  15, rue Martel (1928)

**Jean-Paul KOZLOWSKI
et Francis SACOUN,**
Jean-Pierre CHEVALLIER,
collab.

1972-1978
Bureaux et magasin
d'exposition

*30 bis-32, rue de Paradis
(10ème)
Métro : Château d'Eau,
Poissonnière
Maître d'ouvrage : GESTEC*

83

Profusion de verre qui « évoque la transparence du cristal » pour ces bâtiments de prestige commandés par de vénérables fabricants de verrerie de table et de vaisselle de luxe.

Le mur du fond est un simple « écran » derrière lequel subsiste un bâtiment ancien. Le porche, copie reconstruite de l'entrée du premier siège de Baccarat datant de 1825, est « une citation exprimant les vieilles traditions de la firme ». La façade à gauche, qui dissimule quatre niveaux de salles d'exposition, est inclinée « pour satisfaire au retrait imposé par les règlements d'urbanisme, en évitant les disgrâcieux décrochés en escalier ».

La cour, « espace intérieur dans lequel viennent jouer les enfants du quartier, est en même temps l'amorce d'un cheminement piétonnier qui traversera l'îlot de part en part ».

A VOIR AUX ALENTOURS :
– *E.B.A. (constructeur) / Garage / 5, rue d'Abbeville (vers 1930)*
– *E.C.I.P. (constructeur) / Garage / 12, rue de Rocroy (1956)*
– *H. ZIPCY et RIPEY / Cinéma Louxor / 170, bd. de Magenta (1921)*
– *A. BERROD / Hôtel / 1, rue de Château Landon (1981)*

– *E. PHILIPPE / Piscine de Château Landon (intérieur) / 31, rue de Château Landon (1884-1925)*
– *M. VAN TREEK / Logements / 1, place de Stalingrad (1982)*
– *G. PRACHE / Logements / 241-247, rue La Fayette (1983)*

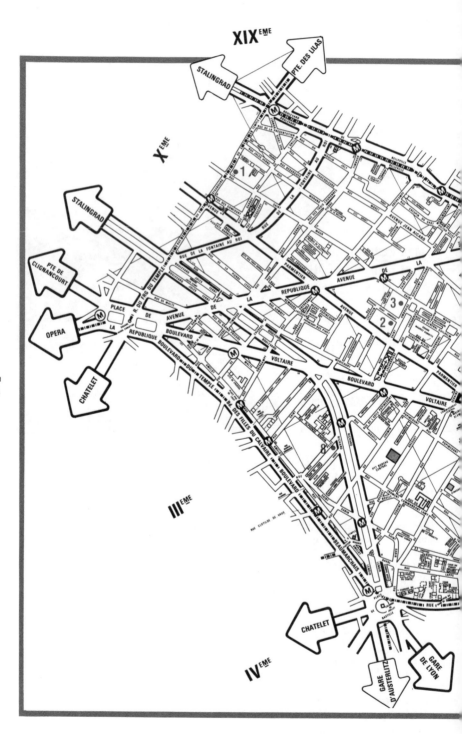

PTE. DE
BAGNOLET

XXEME

5

6

BOULEVARD
BOULEVARD

AVENUE

PHILLIPPE

AUGUSTE

BOULEVARD

VOLTAIRE

VOLTAIRE

RUE JEAN MACE

7

AVENUE DE TAILLEBOURG

AV. DE BOUVINES

PLACE
DE
LA
NATION

RER

RER

PTE. DE
VINCENNES

RUE SAINT ANTOINE

RUE DU FAUBOURG SAINT ANTOINE

SAINT ANTOINE

GARE
DE LYON

PTE. DE
ST MANDE

XIIEME

85

XIe

ARRONDISSEMENT

86

Lucien LAMBION (?)

vers 1929
Logements

176, rue Saint Maur (11ème)
Métro : Goncourt, Belleville

Tirant un profit maximum de sa position en promontoire au flanc des hauteurs de Belleville, cet immeuble, dont l'architecte n'est pas connu avec certitude, a visiblement été conçu comme un poste d'observation sur la capitale.

Cette machine à voir – où seules quelques fenêtres sont « normales », c'est-à-dire de simples trous dans la façade – est une véritable floraison, quasi-pathologique, de bow-windows aux formes variées. Les fenêtres sortent des murs comme l'on dit que « les yeux sortent de la tête ».

Au dernier étage, les avancées semi-circulaires font penser aux tourelles d'un bâtiment de guerre, et renforcent la métaphore maritime de cet immeuble en proue, navire des temps modernes qui semble prêt à fendre les flots des constructions d'un autre âge qui l'entourent.

A VOIR AUX ALENTOURS :
- *J.P. VIDAL / Ecole / 6, rue de la Présentation (1983)*
- *R. REQUET-BARVILLE et L. LONGUET / Ecole / 39, rue des Trois-Bornes (1936)*
- *M. FERRAND, J.P. FEUGAS et B. LE ROY / Foyer de personnes âgées / 94, rue de la Folie-Méricourt (1985)*

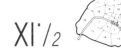

Louis MIQUEL.

Georges MAURIOS, collab.

1965

Logements et locaux industriels

25, rue Saint-Ambroise (11ème)
Métro : Saint-Maur, Saint-Ambroise
Maître d'ouvrage : SOCIETE WINTER

« A la manière de ... ». Ancien assistant de Le Corbusier, Miquel a réalisé une « petite Cité Radieuse à l'échelle d'une rue parisienne ».

Comme chez le Maître, la construction est en béton brut. Les logements sont en duplex, desservis par des coursives intérieures et pourvus de loggias en claustrat. Impossible toutefois de faire ici les pilotis qui supportent les vraies Cités Radieuses, car « le rez-de-chaussée devait être utilisé en hall d'exposition ».

Fidèle au fonctionnalisme, l'architecte a rendu « évidente la différenciation des étages selon leur usage : hall d'exposition vitré, brise-soleil pour les bureaux, et loggias pour les logements ».

Mario HEYMANN et Roger ANGER

1969
127 logements

31, rue Saint-Ambroise (11ème)
Métro : Saint-Ambroise, Saint-Maur
Maître d'ouvrage : OCEFI (COGEDIM)

Dans le sillage de Candillis, de nombreux architectes des années 60 tentent d'échapper aux mornes « boîtes d'allumettes » construites après-guerre en inventant des immeubles-empilements où chaque appartement est conçu comme une sorte de cellule de base.

Ici les architectes ont essayé de « casser un immeuble collectif en lui donnant l'échelle de l'habitation individuelle : les pièces d'habitation se prolongent sur la façade par un jeu complexe de balcons et de renfoncements, différenciés selon les volumes intérieurs qu'ils prolongent ».

Mais aussi un immeuble-manifeste : « à l'époque nous voulions affirmer l'architecture moderne en créant un rapport de contraste, voire de conflit, avec l'environnement urbain qui ne nous intéressait pas. Nous aurions voulu en faire plus, inventer des empilements encore plus complexes, utilisant au maximum les possibilités du béton. Nous n'avons pu le faire pour des raisons économiques ».

**Christophe DRYJSKI
et Dominique DRYJSKI**

1981

Bureaux et logement de
fonction

*130, av. de la République
(11ème)
Métro : Père-Lachaise
Maître d'ouvrage :
Association « L'ILOT »*

Une idée directrice : « intégrer l'immeuble dans un environnement où l'architecture de l'entre-deux guerres est très présente ».
Ainsi « les bow-windows du logement et les consoles qui les soutiennent sont un essai de réactualisation de l'architecture des années 30, en rupture avec l'architecture moderne des années 60 ».
Le maître d'ouvrage – une association sans but lucratif – manquant de moyens, le dernier étage de l'immeuble n'a pu être construit et la façade, prévue en pierre, a été laissée en béton recouvert d'enduit plastique.

A VOIR AUX ALENTOURS :
– *M. BENOIT et T. VERBIEST / Foyer de
personnes âgées / 21, passage de Ménilmontant
(1985)*

**Jacques KALISZ,
Jean-Claude BERNARD,**
architecte d'opération

1980

80 logements sociaux

*3-11, rue Merlin (11ème)
Métro : Philippe Auguste,
Voltaire*
Maître d'ouvrage : SAGI

« Une architecture pour profiter du jardin » : les architectes ont cherché ici « l'ouverture maximum des logements sur le parc » de 1,5 ha. créé sur le terrain de l'ancienne prison de la Petite Roquette.

Les bâtiments orthogonaux « sont découpés en petites unités en forme de U qui cassent le grand ensemble, et dans lesquelles pénètre la végétation, offrant aux enfants de petits jardins de proximité. Les façades, en retraits successifs, déterminent des gradins couverts de terrasses ouvrant, plein sud, sur le parc. Le haut des façades est animé par des créneaux », qui achèvent de donner à l'ensemble un faux-air d'architecture arabe.

A VOIR AUX ALENTOURS :
– *Agence d'architecture HBM / Ensemble de logements / rue Henri Ranvier (1931)*
– *J. LABRO / Logements / 9, impasse Carrière Mainguet (1983)*

Gilles BOUCHEZ.
Elke von der FORST, collab.

1984

33 logements sociaux

108, av. Philippe Auguste
(11ème)
Métro : Philippe Auguste
Maître d'ouvrage : RIVP

Une « cicatrisation » du tissu urbain. Sur ce terrain resté vide depuis le début du siècle, il fallait « un immeuble discret qui fasse la jonction entre les rythmes différents – vertical pour l'un, horizontal pour l'autre – des deux constructions mitoyennes ».
C'est ce qui explique le dessin de la « façade au rythme silencieux, qui associe les horizontales (rez-de-chaussée et fenêtres du premier étage) aux verticales (fenêtres des étages courants). Au sommet, deux grandes ouvertures en carré créent un troisième rythme et servent de signal à l'immeuble qui, bien que discret, ne veut pas passer inaperçu ». Le sillon central permet de « casser la disgracieuse proportion de faux-carré » de la construction.
Pour les mêmes raisons « d'intégration au contexte », les architectes n'ont pas utilisé toute la hauteur de construction autorisée par les réglements.

A VOIR AUX ALENTOURS :
– *R. FISCHER / Logements / 166, rue de Charonne*
  (1931)

Auguste LABUSSIERE et LONGEREY. *1910*
Hôtel pour célibataires

94, rue de Charonne (11ème). Métro : Charonne
Maître d'ouvrage : GROUPE DES MAISONS OUVRIERES

Un immeuble-hôtel, « abri plus ou moins temporaire pour célibataires hommes » (1), devenu aujourd'hui un « Palais de la Femme ».
Les préoccupations charitables rejoignent les nécessités du progrès social : il s'agit tout à la fois de sortir les célibataires, population particulièrement instable, de leurs « affreux garnis », et de leur permettre une vie sociale qui les fasse échapper à l'emprise du « cabaret ». C'est ce qui explique le soin apporté à la conception intérieure : salle à manger commune, salons, salles de réunions etc. soigneusement décorés. « Une multiplication d'immeubles aussi attrayants constituerait une prime au célibat », constate plaisamment un délégué à la conférence des HBM.
Extérieurement, Labussière – sans aller aussi loin que rue de la Saïda (cf. p. 158) – ébauche une architecture résolument moderne : les structures en béton se montrent timidement et, surtout, les volumes « bougent ». Mais il ne s'agit pas uniquement d'une préoccupation esthétique : les redents de la façade – peut-être les premiers construits à Paris – visent avant tout à apporter aux locataires l'air et le soleil, en ouvrant sur la rue les sombres cours-puits, qui étaient alors la règle générale.

(1) 5ème conférence des HBM, 12 mars 1911. Cité par Jean Taricat et Martine Villars dans « Le logement à bon marché, Paris 1850/1950 », Ed. Apogée (1982).

A VOIR AUX ALENTOURS :
– *M. CHESNEAU et P. IRANMEHR / Ecole / 31, rue Godefroy-Cavaignac (1986)*
– *C. LAB / Logement / 37, rue de Charonne - dans la cour à droite (1979)*
– *L.H. BOILEAU / Ecole / 10, rue Keller (1932)*

XI'/8

Bernard BOURGADE et Michel LONDINSKY

1984
Foyer pour personnes âgées

61, bd. Richard Lenoir (11ème)
Métro : Richard Lenoir
**Maître d'ouvrage :
HABITAT SOCIAL FRANÇAIS**

93

L'architecture contemporaine redécouvre la ville et son histoire. Plutôt que raser ses vestiges, elle préfère s'en servir pour assurer la continuité urbaine, dans le temps et dans l'espace. Ici, Bourgade et Londinsky n'ont « pas voulu détruire le fronton de l'ancien bâtiment qui occupait le terrain, car il est un élément important de l'histoire du quartier, et un repère familier pour ses habitants ».

C'est ce grand fronton semi-circulaire qui a déterminé les architectes à donner à la nouvelle construction située en bordure du quartier historique du Marais « une inspiration d'hôtel particulier classique », avec ses deux corps de bâtiment situés de part et d'autre du porche monumental.

Même application des règles classiques pour les fenêtres : petites et prises dans des arcades au 1er étage, elles sont groupées par deux aux 2ème et 3ème étages, pour retrouver les proportions de l'ancien « étage noble », et surmontées de balcons aux dessins de frontons. Au dernier étage, « des lucarnes à la manière des anciens combles, terminent le bâtiment ».

A VOIR AUX ALENTOURS :
– *SFERCO / Ateliers / allée Verte (1984)*
– *P. CANAC / piscine / 9, rue Alphonse Baudin (1981)*
– *P. CANAC / école / 19, rue Alphonse Baudin (1978)*

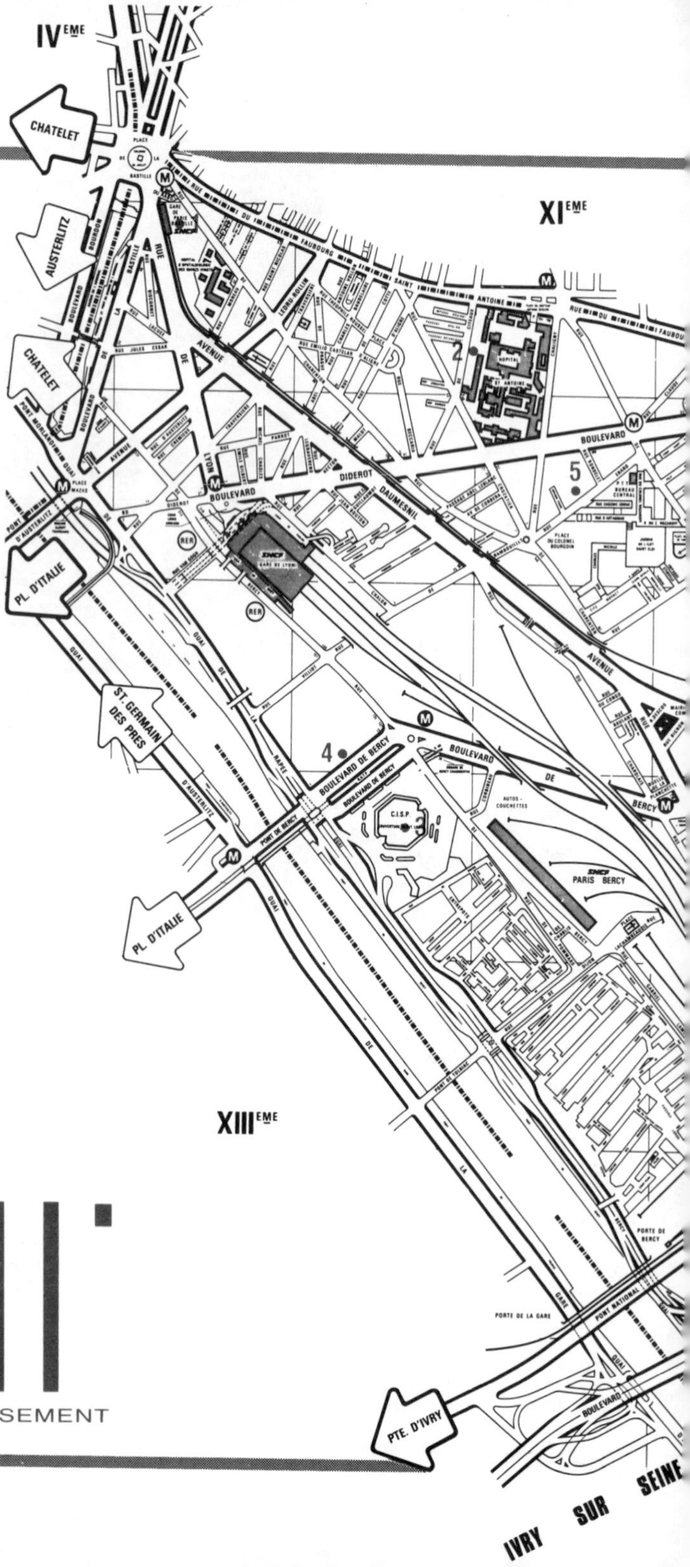

IVEME

CHATELET

AUSTERLITZ

CHATELET

XIEME

PL. D'ITALIE

ST. GERMAIN DES PRES

PL. D'ITALIE

94

XIIIEME

XIIe
ARRONDISSEMENT

PTE. D'IVRY

IVRY SUR SEINE

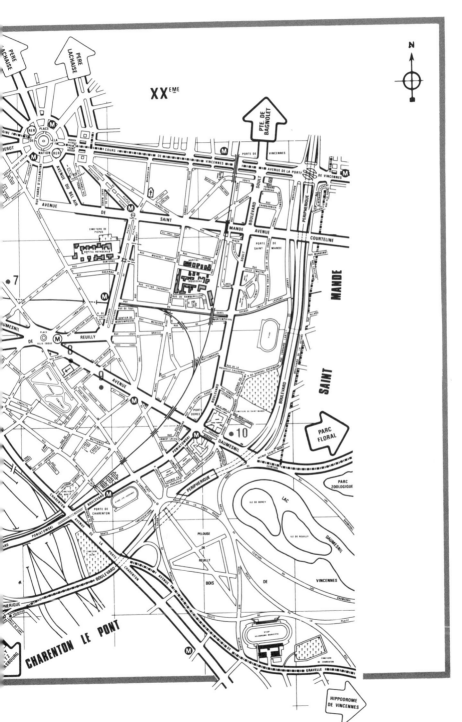

Carlos OTT *Prévu : 14 juillet 1989*

Opéra de la Bastille

2-6, place de la Bastille (12ème). Métro : Bastille
Maître d'ouvrage : ETABLISSEMENT PUBLIC DE L'OPERA BASTILLE

Un « opéra populaire » édifié sur le haut lieu de la révolution française.
La place de la Bastille s'est construite au fil des siècles, selon les hasards de l'histoire, le contraire d'une place classique, rigoureusement ordonnée par une volonté unique, comme la place Vendôme.
Pour respecter ce côté « aléatoire » – et « pour ne pas intimider un public peu familier de l'opéra » – Ott a refusé la « monumentalité écrasante ». Sa façade « ne cherche pas à ordonner la place », mais veut « s'insérer dans la ville existante », glissant vers les faubourgs situés à l'arrière. Au contraire d'un « ghetto culturel pour privilégiés fonctionnant uniquement la nuit », c'est « un lieu actif toute la journée et largement ouvert sur le quartier : bouche de métro dans le hall public, surfaces commerciales etc. ».
Toujours par refus de la monumentalité, le bâtiment a été fragmenté en volumes plus petits, qui laissent deviner chacun leur fonction : demi-cylindres des salles de spectacle, cubes des cages de scène, façades plates des loges.
A défaut de monumentalité, il reste les symboles : la grande arche carrée, « comme porte d'apparat », et la disposition en emmarchement des éléments opaques de la façade, « symbolisant un grand escalier d'opéra, image de la fête ».
Le projet a été revu en baisse durant l'été 1986, et un certain nombre d'éléments – notamment les grands ateliers de fabrication de décors sur la rue de Lyon – ont été abandonnés.

Henri CIRIANI.

Jacky NICOLAS, ass.

1985

Cuisine de l'hôpital Saint-Antoine

30, rue de Citeaux (12ème)
Métro : Faidherbe-Chaligny
Maître d'ouvrage : ASSISTANCE PUBLIQUE

Avec cette cuisine construite sur un ancien terrain vague, Ciriani a voulu « rapiécer la ville, retrouver la continuité de la rue en faisant la suture entre deux bâtiments d'échelles et de styles différents ».

Nul pastiche de style « ancien » : le nouveau bâtiment se réclame du « meilleur de l'architecture des années 30, et l'intégration s'effectue uniquement par des jeux de volumes et de proportions. A gauche, la cuisine s'élève jusqu'aux 4 étages de l'immeuble voisin. A droite, des volumes plus bas et un revêtement de pierre parisienne traditionnelle assurent la jonction avec le bâtiment mitoyen ».

Bénéficiant d'un éclairage naturel par une vaste baie, d'une terrasse plantée et de locaux de détente au premier étage, cette cuisine est « un lieu de travail traité comme un équipement de prestige ».

A VOIR AUX ALENTOURS :
- A. DUPUIS et J. RIVET / Bureaux / 44, bd. de la Bastille (1975)
- E. BOIS / Logements / 13 et 14, rue Abel / 1922
- M. OUDIN / Hôtel / 13, bd. Diderot (1913)
- P. MALLUIN et J.P. MAUDUIT / Logements / 107, rue de Charenton (1984)
- J. NEEL / Logements / 52, rue Crozatier (1959)
- A. WOGENSKY / CHU St. Antoine / 184, fbg. Saint-Antoine (1965)
- X... / Logements / 11, rue de Reuilly (vers 1950)
- B. OGE et J.J. FAYSSE / Logements / 228, fbg. Saint-Antoine (1977)

98

Pierre PARAT, Michel ANDRAULT et Aydin GUVAN
Structure métallique : Jean PROUVÉ

1983
Palais omnisports de Bercy

2, bd. de Bercy (12ème)
Métro : Bercy
Maître d'ouvrage : VILLE DE PARIS

« Monumentalité et modestie » pour cette gigantesque – 55.000 m^2 – salle à géométrie variable, pouvant accueillir de 3.500 à 17.000 spectateurs de manifestations sportives – matchs de boxe ou de football, courses cyclistes – ou culturelles – opéra, concerts, variétés – etc.

Côté monumentalité, comme un point auquel répond la ligne du ministère de l'Economie, « une pyramide tronquée hérissée de quatre énormes poteaux en béton de 6 m de diamètre et 30 m de haut, supportant la charpente métallique de la toiture ».

Mais, « pour rester modeste, à l'échelle de la Seine qui coule en longueur, les parois sont inclinées à 45e, diminuant visuellement la hauteur, et sont recouvertes de gazon, pour faire de cette construction une tête de pont du futur parc de Bercy ».

Paul CHEMETOV et Borja HUIDOBRO.
Emile DUHART-HAROSTEGUY, arch. conseil

Prévu : 1988
Ministère de l'Economie et des Finances

1, bd. de Bercy (12ème)
Métro : Bercy
Maître d'ouvrage : MINISTERE DE L'ECONOMIE ET DES FINANCES

Destiné à libérer totalement le musée du Grand Louvre, ce nouveau ministère a été conçu à la fois « comme une porte et comme un pont ».

Comme une porte, « pour constituer l'entrée monumentale qui a toujours manqué à l'est de Paris ».

Comme un pont, car le nouveau bâtiment, construit au bord de la Seine, « se devait d'exister par rapport à elle ». Mais la forme du terrain rendant impossible une solution classique – une façade parallèle au fleuve – les architectes ont choisi d'employer une « métaphore fluviale : donner au bâtiment la forme d'un pont dont seule la dernière pile plonge dans l'eau ». L'emploi de la pierre « renforce cette image traditionnelle de pont, et signale un bâtiment public, auquel la trame des grandes ouvertures donne une échelle monumentale ».

Mario HEYMANN,
Roger ANGER et
Pierre PUCCINELLI

1969
Logements et bureaux

15-21, rue Erard (12ème)
Métro : Reuilly-Diderot
Maître d'ouvrage : GRETIMA

Un exemple de « l'urbanisme bulldozer » des années 60 : « C'était la période de la table rase : comme tout le quartier avait été détruit, il n'y avait pas à se préoccuper de l'intégration des nouveaux immeubles dans un environnement qui n'existait plus ».

Les architectes ont toutefois voulu éviter d'édifier, comme la réglementation les autorisait alors à le faire, un « énorme mur » de 20 étages. D'où l'idée de construire trois tours distinctes, reliées par des « ponts » entre lesquels on voit le ciel.

Comme dans leur bâtiment de la rue Saint-Ambroise (cf. p. 88), les architectes ont essayé « d'individualiser l'habitat collectif » : « En utilisant un système d'avancées et de creusement de la façade, nous avons cherché à donner l'impression d'un empilement de maisons individuelles. Nous voulions que, de la rue, un habitant puisse immédiatement désigner son appartement, sans avoir à compter les étages et les fenêtres ».

A VOIR AUX ALENTOURS :
– *LEBOUCHEUR / Eglise St. Eloi / 3, place Maurice de Fontenay (1967)*

Roland SCHWEITZER

101

1971
Ecole d'infirmières

95, rue de Reuilly (12ème)
Métro : Montgallet
Maître d'ouvrage : DIACONNESSES DE REUILLY

Exemple d'architecture fonctionnaliste où « la diversité n'est pas gratuite mais exprime fidèlement les différentes fonctions du bâtiment ».

« Le volume de l'école a été fractionné en plusieurs blocs ayant chacun un usage bien précis, et ici ce sont les ouvertures qui marquent la différence : baies vitrées totales pour l'éclairement maxima des salles de cours : fenêtres verticales (correspondant à la position debout) des chambres et pour les sanitaires, des fenêtres en bandes verticales hautes, qui protègent des regards indiscrets ».

Le jardin, espace de transition, a été conçu pour « élargir visuellement » la place Montgallet.

Roland SCHWEITZER.

Philippe JEAN, collab.

1976

Ecole et internat religieux

101, rue de Reuilly (12ème)
Métro : Daumesnil, Montgallet
Maître d'ouvrage : CONGREGATION DE SAINTE-CLOTILDE

Comme dans la construction précédente du même architecte, « le volume du bâtiment a été fractionné selon ses diverses fonctions ».

Mais « ce projet, plus vaste, a permis l'emploi de plusieurs modes architecturaux afin de constituer un noyau urbain diversifié. Le collège lui-même est en béton, avec des pare-soleil pour protéger les salles de classe, orientées au sud. L'internat religieux, en brique et béton, a des fenêtres verticales et, au 3ème étage, une coursive-promenoir pour les soeurs ».

Adossé à un exceptionnel espace vert, l'ensemble est monté sur pilotis « pour laisser voir de la rue les vastes pelouses et les bosquets » du domaine religieux.

A VOIR AUX ALENTOURS :
– *MOINEAU / Bureau de poste / 187, av. Daumesnil (1937)*
– *D. HONEGGER / Logements / 157 à 175 av. Daumesnil (1960)*
– *ARDOUIN et LEMESTRE / Garage et Logements / 13, rue Dugommier (1931)*
– *M. MARCHAND / Logements / 11, rue Dugommier (1932)*
– *W. MITROFANOFF / Logements / 22, rue de Charolais et 218, rue de Charenton (1983)*

Paul TOURNON

1931
Eglise du Saint-Esprit

186, av. Daumesnil (12ème)
Métro : Daumesnil
Maître d'ouvrage :
ASSOCIATION DIOCESAINE
DE PARIS

103

Les autorités religieuses entendaient construire, à proximité de l'Exposition coloniale, une église-mémorial dédiée aux missionnaires, « premiers pionniers de l'Oeuvre Coloniale » (1). Non sans appréhension à l'égard des réactions des habitants du quartier « réputés pour leurs idées communistes ».

De son côté Tournon, architecte profondément catholique, voulait réveiller l'architecture religieuse « retranchée dans la nostalgie du passé depuis plus de cent ans » (2).

Grand Prix de Rome, peu suspect de complaisance à l'égard des audaces du Mouvement moderne, il s'est inspiré de Sainte-Sophie de Constantinople, pour construire un édifice au contenu hautement symbolique. Le clocher de 85 m de haut – le plus élevé de Paris – « appelle les âmes à la source de la lumière » (1). La grande coupole – 33 m de diamètre – « est l'image humaine de l'univers, avec l'Esprit-Saint au zénith. A sa base, une couronne brillante de fenêtres pour exalter les fidèles vers les hauteurs. Au-dessous, les 12 arches des 12 prophètes et des 12 apôtres » (2).

L'édifice en béton armé est recouvert de « briques de Bourgogne dont le jeu est l'unique parure extérieure de l'église » (2). A l'extérieur, statues de Sarrabezolles, représentant les Arts. A l'intérieur, fresques de Maurice Denis.

(1) Brochure de présentation de l'église par l'évêque Eugène Jacques (1931).
(2) « Paul Tournon, architecte », éd. Dominique Vincent (1976).

AGENCE D'ARCHITECTURE DE L'OFFICE HBM. *1924*
Ensemble HBM (605 logements sociaux)

41, rue de Fécamp et 10, rue Tourneux (12ème)
Métro : Michel Bizot, Daumesnil
Maître d'ouvrage : OFFICE D'HBM DE LA SEINE

Dix ans après la création de l'office public d'habitations à bon marché (HBM) de la Seine, les pouvoirs publics entendent fournir aux miséreux de la « zone », au-delà du logement, un « cadre éducateur d'ordre et de propreté » (1). Cette politique d'éducation par le logement trouve rapidement ses limites.

Les habitants de ces nouveaux ensembles bénéficient certes de logements (relativement) spacieux et d'un confort (électricité, eau courante, WC, douches, chauffage) sans commune mesure avec celui des taudis qu'ils quittent.

Mais la volonté de discipline sociale aboutit encore ici, comme dans le grand ensemble rue de Ménilmontant (cf. p. 258), à une architecture quasi-carcérale. La vie y est réglée par la même discipline rigide que les grandes usines inculquent aux paysans individualistes « montés » travailler dans la capitale et aux autres déclassés qui n'ont pas encore assimilé la loi d'airain de la discipline industrielle.

(1) « Règles et instructions pour la construction des HBM », circulaire du ministère du Travail citée par J. Taricat et M. Villars dans « Le logement à bon marché – Paris 1850-1930 », Ed. Apogée (1982).

A VOIR AUX ALENTOURS :
– *G. DELANOE / Logements / 10, rue de la Vega*
  (1972)
– *X... / Logements / 20, rue de la Vega (vers 1930)*
– *A. FERIER et A. LE DU / Logements / 71, av.*
  du Docteur Arnold Netter (1985)

Albert LAPRADE et Léon JAUSSELY

1931
Musée des Arts Africains et Océaniens (ex-Musée des Colonies)

293, av. Daumesnil (12ème). Métro : Porte Dorée

Monument grandiloquent construit pour l'Exposition coloniale à la gloire de « l'empire français », alors à son apogée. Un premier projet, copie du temple d'Angkor, avait été refusé car il ne s'agissait pas d'une « création française ».

Collaborateur du maréchal Lyautey, commissaire de l'exposition, Laprade a participé à la construction de Casablanca et Rabat, avant d'initier le plan de rénovation du Marais et de terminer sa carrière avec la triste préfecture de Paris, bd. Morland (1962).

Le grand péristyle en pierre est la première manifestation à Paris du style néo-classique dénoncé comme rétrograde par les tenants du Mouvement moderne. Les bas-reliefs de la façade sont une synthèse des différentes civilisations de l'empire colonial français.

L'intérieur vaut l'extérieur : monumentale salle des fêtes (récemment rénovée), grands bureaux de Lyautey et de Paul Reynaud (alors ministre des Colonies), conservés intacts avec leur mobilier Ruhlmann.

A VOIR AUX ALENTOURS :
- *S. MENIL / Lycée / 22, av. Armand Rousseau (1972)*
- *R. TAILLIBERT / Piscine / 34, bd. Carnot (1967)*
- *J.C. DONDEL / Foyer / 4, av. Maurice Ravel (1964)*
- *W. MITROFANOFF / Logements / 81, bd. Soult (1986)*
- *GRANET / Ensemble HBM / 64, bd. Soult (vers 1935)*
- *GRANET / Ensemble HBM / 82, bd. Soult (vers 1935)*

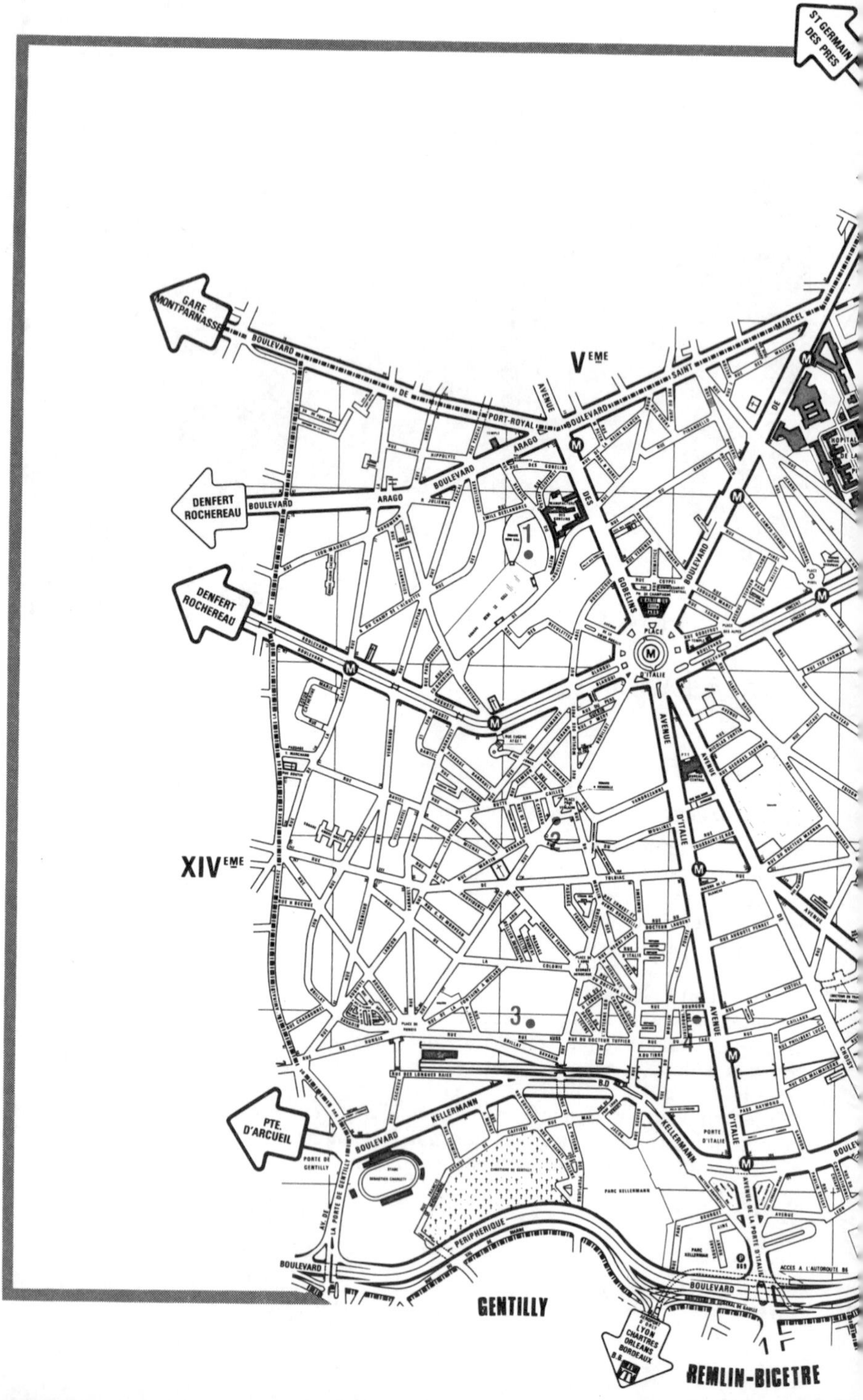

ST GERMAIN
DES PRES

GARE
MONTPARNASSE

DENFERT
ROCHEREAU

DENFERT
ROCHEREAU

VEME

BOULEVARD

PORT-ROYAL

BOULEVARD

ARAGO

BOULEVARD

ARAGO

GOBELINS

PLACE
D'ITALIE

XIVEME

3.

PTE.
D'ARCUEIL

KELLERMANN

BOULEVARD

PORTE
D'ITALIE

PARC KELLERMANN

PERIPHERIQUE

GENTILLY

BOULEVARD

LYON
CHALONS
ORLEANS
BORDEAUX

REMLIN-BICETRE

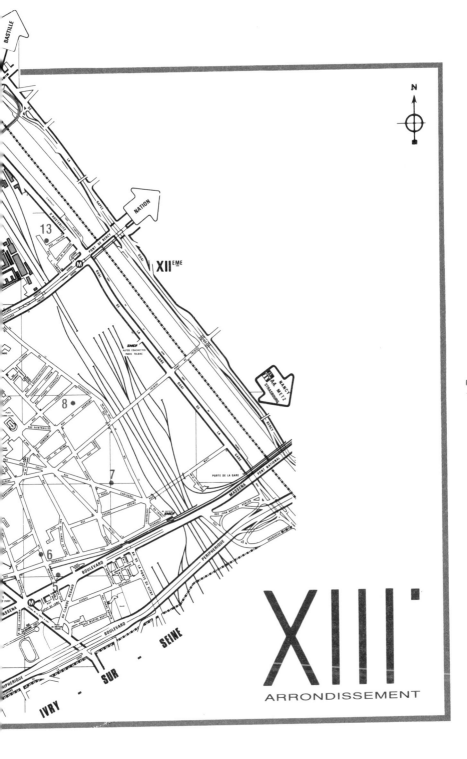

Auguste PERRET

1934
Garde-meuble du
Mobilier national

1, rue Berbier du Mets
(13ème)
Métro : Gobelins

Perret a obtenu la commande du garde-meuble national, en dédommagement de son projet rejeté pour le Trocadéro, auquel il avait travaillé sans percevoir d'honoraires.

Un bâtiment classique, construit comme un hôtel particulier. On retrouve ici la « vérité » des structures (cf. p. 176) et des matériaux (cf. p. 174) chère à Perret. Le « squelette » du bâtiment apparaît clairement sur sa façade en dalles de béton sablé, auquel ont été intégrés des éclats de grès rose qui lui donnent une remarquable capacité à « bien vieillir ».

Autour de la cour d'honneur à laquelle on accède par un portique à colonnade, les locaux sont organisés par échelle croissante : échelle humaine (habitation) à l'entrée ; sur les côtés, grandes baies des ateliers, surmontées des bureaux administratifs ; au fond, le musée, deux fois plus haut que les locaux voisins, et éclairé par le toit.

Pour compenser la forte déclivité du terrain, la cour repose sur des poutres de 28 m de portée, sous lesquelles se trouvent les réserves des Gobelins, dans des locaux soigneusement protégés contre le feu.

A VOIR AUX ALENTOURS :
- *E. ALBERT, R. BOILEAU et LABOUR-*
  DETTE / Tour de logements / 33, rue Croule-
  barbe (1960)
- *Agence d'architecture HBM / Ensemble de loge-*
  ments / 75, bd. Auguste Blanqui (1935)

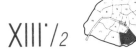

Louis BONNIER. *1924*

François HENNEBIQUE, constructeur béton

Piscine de la Butte aux Cailles

5, place Paul Verlaine (13ème). Métro : Place d'Italie
Maître d'ouvrage : VILLE DE PARIS

Curieux exemple d'architecture-Janus. Cette piscine, construite sur un puits artésien d'eau chaude, semble composée de deux bâtiments juxtaposés, complètement étrangers l'un à l'autre.

A l'extérieur, une façade toute en courbe aux airs d'« Art Nouveau », un style dont Bonnier a été l'un des pionniers en France. Les briques rouges donnent à l'ensemble une tonalité régionaliste caractéristique de l'architecture de Bonnier, un homme du Nord attaché à son terroir.

A l'intérieur – influence de Hennebique, un des architectes-constructeurs maître du béton ? – on est au contraire en pleine architecture moderne avec une toiture-voûte en ciment armé, supportée par sept arches légères qui peuvent rivaliser avec ce qui se fait alors de plus audacieux.

Au 19ᵉ siècle, certains architectes cachaient sous de la pierre de taille l'ossature métallique, jugée « triviale », de leurs bâtiments. Qu'est-ce qui a conduit Bonnier à cacher ici du nouveau derrière de l'ancien ?

A VOIR AUX ALENTOURS :
– *L.C. HECKLY / Ensemble de logements / 18, rue Wurtz (1934)*
– *R. ANGER et P. PUCCINELLI / Logements / 67, rue Barrault (1958)*

– *R. DHUIT / Ecole / 96, rue Barrault (1962)*
– *A. ARFVIDSON, J. BASSOMPIERRE et P. de RUTTE / HBM / 18, rue Brillat-Savarin (1931)*

Roger-Henri EXPERT

1934
Groupe Scolaire

10, rue Kuss (13ème)
Métro : Maison Blanche
Maître d'ouvrage : VILLE DE PARIS

Exemple des écoles « monuments publics » comme on les concevait dans les années 30 (cf. p. 81).

Ici Expert, architecte des lieux de fêtes – intérieurs de paquebots, jeux d'eau des fontaines du Trocadéro, pavillons d'expositions etc. – n'a pas renoncé à laisser le béton visible, mais il a voulu l'adoucir en donnant un aspect ludique à son bâtiment. Les rotondes en retrait successif des logements de fonction, et leurs garde-corps, rappellent tourelles et bastingages des paquebots, tel le « Normandie » qu'il aménageait alors. La cour donnant directement sur la rue – pour un ensoleillement maximum et pour agrémenter l'environnement – se veut un véritable jardin, proche de l'imaginaire des enfants : pergola, volières, arceaux de grille en forme de treillages, petits bancs nichés dans des cavités protectrices etc.

L'état d'entretien actuel de l'école rend mal compte de ces louables intentions.

A VOIR AUX ALENTOURS :
– *P. DUBOIS / Crèche / 14, rue Max Jacob (1973)*
– *A. GHIULAMILA / Auberge de Jeunesse / 19, bd. Kellermann (1982)*
– *H. MAILLARD / Logements / 37, rue Damesme (1979)*
– *M.A. HONORE-DENIS et L. CORRE / Logements / 3, rue Bourgon (1984)*
– *D. SPINETA / Maison / 22, rue du Moulin de la Pointe (1980)*

Vittorio MAZZUCCONI

1984
80 logements intermédiaires

152, av. d'Italie (13ème). Métro : Maison-Blanche
Maître d'ouvrage : RIVP

Mazzucconi, architecte lyrique et dramatique (cf. p. 65) exprime dans son architecture ses craintes quant à l'avenir de la civilisation occidentale. Il a conçu cet ensemble comme une « forteresse assiégée ». Assiégée par « toutes les catastrophes qui menacent notre époque ». Mais aussi, localement, assiégée par « les pires excès de l'architecture d'après-guerre qui a présidé à la reconstruction de ce quartier ». D'où les solides pans de murs en moellons, et la tour semi-écroulée de la « forteresse ». Mais, en contrepoint, il dessine de fines toitures, « version contemporaine des traditionnels toits de Paris », et monte de vastes miroirs, « pour masquer l'immeuble-tour mitoyen en y amenant le ciel et le soleil ».
Contradiction entre le solide et le fragile ? Non, « symbole de la diversité de la ville qui se construit au cours du temps en intégrant les hétérogénéités de l'histoire », répond Mazzucconi.

A VOIR AUX ALENTOURS :
– *M. NOVARINA / Tour / 121, av. d'Italie (1976)*
– *J. CREUZOT et E. DENIS / Ecole / 2, passage Raymond (1947)*
– *E. CREVEL / Ecole / 51, av. de la Porte d'Ivry (1933)*

**LE CORBUSIER et
Pierre JEANNERET**

1927
Maison Planeix
(3 ateliers de peintre)

24 bis, bd. Masséna (13ème)
Métro : Porte d'Ivry
**Maître d'ouvrage :
ANTONIN PLANEIX**

112

Sculpteur de monuments funéraires, Antonin Planeix s'est saigné aux quatre veines pour réunir les quelques 350.000 F (= 810.000 F 1986) nécessaires à la construction de sa maison coincée entre une voie ferrée et un boulevard à forte circulation (1). Une maison qui rappelle, dans son esprit, celle construite l'année précédente par Adolph Loos pour le poète Tristan Tzara (cf. p. 216). Elle est organisée, unifiée, par le cube – dans lequel se trouve la salle de séjour – qui jaillit du mur, surmonté du balcon de l'atelier principal. Jeu subtil, la symétrie de la façade est évidente, et en même temps démentie par les formes différentes des ouvertures du deuxième étage.
A l'arrière, la façade sur jardin est beaucoup plus ouverte, et dotée d'un escalier, volume extérieur nettement séparé de la maison.
(La maison se visite sur rendez-vous avec M. Planeix. Tél. : 45.83.73.50)

(1) Cf. « Villas de Le Corbusier » de Tim Benton. Ed. Philippe Sers (1984).

A VOIR AUX ALENTOURS :
– *J. WILLERVAL / Caserne de pompiers / 37, bd.
Masséna et 16, rue Boutroux (1971)*
– *L.C. HECKLY / Ensemble de logements / 15-27,
bd. Masséna (1933)*

Jacques de BRAUER

1976
Bureaux

86, rue Regnault (13ème)
Métro : Porte d'Ivry
Maître d'ouvrage : SERETE

Synthèse d'une nécessité technique et d'un choix esthétique.

Le maître d'ouvrage, une des plus importantes sociétés françaises d'ingénierie, désirait des bureaux d'un seul tenant, ce qui rendait nécessaire leur climatisation. L'architecte, lui, voulait un « bâtiment qui accroche la lumière et brille comme les facettes d'une pierre taillée ».

Résultat : une construction à double paroi de façade en verre. L'une – intérieure — est lisse, l'autre – extérieure – est plissée en accordéon. La climatisation et les rideaux pare-soleil sont logés dans l'espace entre les deux parois, qui est ainsi un véritable « mur-respirant ».

Autre avantage non-négligeable, cet espace intermédiaire de plusieurs centaines de mètres carrés ne comporte aucun plancher. Il n'est donc pas comptabilisé dans la surface construite, strictement limitée par le coefficient d'occupation des sols (COS), et augmente d'autant la surface « utile » du bâtiment.

A VOIR AUX ALENTOURS :
– *M. BERNIER / Ecole / 31, rue du Château des Rentiers (1983)*
– *J. de BRAUER / Bureaux / 72, rue Regnault (1971)*
– *J. KALISZ / Ecole / 24, rue de Patay (1985)*
– *A. BIRO et J.J. FERNIER / Bureaux / 27, rue du Dessous des Berges (1975)*

LE CORBUSIER et Pierre JEANNERET. *1933*
Refuge de l'Armée du Salut

12, rue Cantagrel et 47, rue du Chevaleret (13ème). Métro : Porte d'Ivry
Maître d'ouvrage : ARMÉE DU SALUT

Avec ce quartier général de l'Armée du Salut – « Usine du Bien où l'on révise les rouages de la machine humaine usée par la vie », disait la plaquette de présentation – Le Corbusier construit son deuxième immeuble collectif. Après le pavillon suisse (cf. p. 129), il avance encore dans la voie de la « Cité Radieuse ».

Le grand bâtiment abritant les dortoirs – 500 lits au total – a une façade vitrée de plus de 1.000 m² non ouvrante. « C'est le premier bâtiment d'habitation entièrement hermétique » proclame fièrement Le Corbusier, pour qui le logement du 20e siècle doit être une « machine à habiter » universelle, utilisable comme une automobile, quel que soit le climat. La ventilation intérieure y est assurée par un système d'air conditionné. Mais ce dernier se révélant défectueux, il devra rajouter des brise-soleil pour éviter que les dortoirs ne se transforment l'été en serres étouffantes.

Au pied de l'immeuble, les services administratifs occupent des volumes colorés qui « se succèdent avec des formes très nettement organisés par leurs fonctions mêmes » : les arrivants s'inscrivent en passant le portique monumental ; dans le bâtiment cylindrique, véritable « plaque tournante » ; ils sont ensuite orientés vers les divers services, dont les services sociaux, logés dans un grand parallélépipède.

A VOIR AUX ALENTOURS :
– *A. BIRO et J.J. FERNIER / Logements / 105, rue
  du Dessous-des-Berges (1971)*

ARCHITECTURE-STUDIO

1984
25 logements sociaux

16, rue de Domrémy (13ème)
Métro : Chevaleret
Maître d'ouvrage : HABITAT SOCIAL FRANÇAIS

Dehors, dedans : « Une façade à double peau qui exprime les deux caractères contradictoires du bâtiment, le public et l'intime ».

Directement sur la rue, « la trame rigoureuse en béton cherche avant tout à s'insérer étroitement dans l'environnement : la toiture oblique et les grilles du rez-de-chaussée qui reprennent des éléments de l'école située en face, la porte d'entrée récupérée sur l'immeuble qui occupait précédemment le terrain, etc. ».

« Derrière cette façade publique, la façade privée est recouverte d'une peinture tachetée très colorée, évoquant les faux-marbres baroques et le raffinement des espaces intimes ».

« Espace intermédiaire entre ces deux peaux », des coursives à claire-voie desservent les appartements.

A VOIR AUX ALENTOURS :
– *T. FAYETON / Foyer / 11, rue Charcot (1983)*
– *G. BOUCHEZ / Logements / 18, rue Dunois (1981)*
– *R. BELLUGUE et P. GUIBERT / Logements / 58, rue Domrémy (1983)*

116

Christian de PORTZAMPARC

Marie-Elisabeth NICOLEAU, ass.

1984

Foyer de personnes âgées

120, rue du Château des Rentiers (13ème)
Métro : Tolbiac, Nationale
Maître d'ouvrage : RIVP

Un exemplaire exercice de restructuration du tissu urbain : combler un trou béant entre deux bâtiments posés n'importe comment lors de l'urbanisation chaotique du quartier dans les années 60 et 70.

Portzamparc a « lié » les deux immeubles par une construction-charnière qui établit une relation géométrique entre ces deux bâtiments qui, jusque là, s'ignoraient superbement. Les « contre-courbes, soulignées d'épais bandeaux, répondent aux courbes du bâtiment de gauche. Elles viennent buter sur une longue fente verticale reprenant le motif de couronnement du bâtiment de gauche, et qui amorce la haute tour de droite ».

Par sa faible hauteur, le nouvel immeuble permet en outre de « redonner une échelle piétonne à la rue, à l'opposé de l'échelle abstraite des bâtiments existants ».

Un type d'intervention ponctuelle qui risque de devenir de plus en plus fréquente pour donner de la cohérence aux zones victimes de l'urbanisation anarchique des vingt dernières années.

**Michel BENOIT et
Thierry VERBIET,**
Thierry d'HUART, collab.

1985

Logements sociaux

18, rue Sthrau (13ème)
Métro : Tolbiac, Nationale
Maître d'ouvrage : RIVP

117

Un immeuble arrivé le dernier, et qui joue la modestie : point final de la rénovation de la place du Docteur Navare, il a été conçu comme la « synthèse de tout ce qui l'entoure ».

« Ainsi, la brique a été employée car elle est le matériau dominant dans le quartier. Le creusement de la façade s'inspire de celui existant sur l'immeuble mitoyen, rue Nationale, et fait apparaître l'angle des deux rues comme une pointe entre deux creux. Quant aux structures verticales, en avancée de la façade, elles sont un écho aux volumes verticaux de l'ensemble des Hautes-Formes (voir page suivante), le point fort du quartier.

A remarquer l'intérieur du porche, traité en brique comme la façade pour estomper la différence intérieur-extérieur.

A VOIR AUX ALENTOURS :
– *B. BOURGADE et M. LONDINSKY / Foyer /*
  91, rue Nationale (1982)

Christian de PORTZAMPARC. *1979*

Georgia BENAMO, associée
209 logements sociaux

Rue des Hautes-Formes (13ème). Métro : Tolbiac
Maître d'ouvrage : RIVP

Un ensemble considéré comme marquant la renaissance de l'architecture parisienne, à la fin des années 70. Ici Portzamparc, représentatif de ces jeunes architectes de l'après Mai 68 qui ont beaucoup réfléchi à leur métier, refuse en bloc « le fonctionnalisme, l'architecture internationale et les constructions en série qui semblent produites par des machines ».

Ainsi le choix de bâtir huit immeubles là où il était prévu de planter deux tours, marque la « volonté de sculpter un espace en creux où puisse s'installer la vie publique ». D'où la création d'une rue parisienne – traditionnelle jusque dans ses trottoirs –, d'une place centrale et d'un square.

Tout dans ce projet tend à manifester clairement cette notion « d'espace intérieur urbain » : Portzamparc a travaillé sur un « volume de vide » qu'il a « rythmé par les différentes dimensions des bâtiments, par les échappées ménagées entre eux, par les oppositions de surfaces aveugles et de surfaces percées, et par les fenêtres de tailles différentes, mais ayant toutes la même proportion ».

Le but n'est pas d'exprimer la « vérité intérieure des bâtiments », chère aux fonctionnalistes, mais de « composer l'espace extérieur comme un espace intérieur ». Ainsi, les grandes fenêtres ne correspondent pas à des appartements en duplex, mais visent essentiellement à « calmer l'espace », à éviter « le spectacle abrutissant et inhumain de production en série que donnerait l'empilement de mille fenêtres identiques ».

A l'inverse, il ne s'agit pas non plus de faire croire par des artifices visuels que cette HLM est un palais : à côté de ces grandes fenêtres aristocratiques, subsistent en fines bandes verticales, des fenêtres « normales », à l'échelle des appartements. Elles rappellent à une certaine « vérité » : on est ici dans un immeuble de onze étages.

Cet espace urbain est souligné par des éléments qui, « loin d'être gratuits, le rendent lisible à l'aide de formes efficaces et prouvées » : une arche « signifie » l'entrée de l'îlot, et les linteaux reliant les immeubles sont les « parois symboliques » qui le délimitent.

Revers de la médaille : le fractionnement en plusieurs bâtiments a considérablement augmenté la surface de façade. Il devenait alors impossible, dans le cadre d'un budget de logement social, de les recouvrir d'un revêtement de qualité. Portzamparc a donc dû se contenter d'un enduit blanc qui résiste bien mal aux années.

A VOIR AUX ALENTOURS :
– *M. CAMMAS / HLM / 24, av. Edison (1967)*
– *CREVEL / Fondation George Eastman / 11, rue George Eastman (1937)*
– *N. SONOLET / Centre de santé mentale / 76, av. Edison (1980)*
– *CHARLET et PERRIN / Ensemble HBM / 137, bd. de l'Hôpital (1926)*
– *J. DELAAGE et F. TSAROPOULOS / Tours de logements / 74, rue Dunois (1975)*

– *P. DESLANDES / Tour de logements / 67, rue Dunois (1970)*
– *M. NOVARINA / Bureaux / 2, rue de Clisson (1973)*
– *E. FREYSSINET / Messageries / 57, bd. Vincent Auriol (1929)*
– *BUKIET / Centre PTT / 26, bd. Vincent Auriol (1956)*
– *M.C. GANGNEUX / Foyer / 10, bd. Vincent Auriol (1985)*

Pierre PARAT

et Michel ANDRAULT

1973
Faculté des Lettres
et des Sciences
(centre Pierre
Mendès France)

90, rue de Tolbiac (13ème)
Métro : Tolbiac, Nationale
Maître d'ouvrage :
EDUCATION NATIONALE

Un « pari dément » : faire tenir 13.000 étudiants sur un « ridicule terrain triangulaire » de 4.500 m².

Amoureux des « structures vraies, c'est-à-dire qui expriment clairement les fonctions des diverses parties d'un bâtiment », Andrault et Parat ont nettement séparé ici les circulations, des locaux universitaires proprement dits. Ces derniers, « des modules cubiques vitrés et répétitifs, sont accrochés à un noyau en béton, qui contient ascenseurs et escaliers ».

Ce parti, qui réduit au minimum les fondations, a permis de loger dans les sous-sols les amphithéâtres de la faculté.

A VOIR AUX ALENTOURS :
– M. HOLLEY / *Bureaux* / *101, rue de Tolbiac*
  (1974)
– M. HOLLEY / *Ensemble « Les Olympiades »* /
  105, rue de Tolbiac (1978)
– SEASSAL / *Lycée Claude MONET* / *1, rue*
  Docteur Magnan (vers 1949)
– PRUDON et CONTRESTI / *Logements HBM* /
  118, rue de Tolbiac (1929)

121

Bernard LE ROY, Marylène FERRAND, Jean-Pierre FEUGAS et Bernard HUET

1983
12 ateliers d'artistes dans un ancien entrepôt

26, rue Edmond-Flamand (13ème)
Métro : Quai de la Gare
Maître d'ouvrage : RIVP

Une opération exemplaire du respect de l'architecture existante.
Cet ancien atelier de tonneaux dépendant des entrepôts de Bercy devait intialement être rasé pour laisser place à des constructions nouvelles. « La qualité exceptionnelle de la charpente et les deux belles façades néo-classiques » ont décidé le maître d'ouvrage à conserver la structure de l'édifice.
L'allée de poteaux, qui délimite une nef et deux travées latérales, dessert les ateliers aux façades métalliques. On accède aux logements des 3ème et 4ème étages par un escalier intérieur à chaque atelier. « Principal casse-tête : combiner la trame de la charpente, très complexe dans sa partie supérieure, avec l'installation des murs séparatifs des logements ».
Les réglements d'urbanisme interdisant le percement de fenêtres sur les murs latéraux considérés comme mitoyens, c'est une verrière sur le toit qui éclaire les parties arrières et supérieures des appartements.

A VOIR AUX ALENTOURS :
– *ARSENE-HENRY, frères / Maison de la battellerie / 18, quai d'Austerlitz (1960)*

– *J. CAILLAT / Foyer de travailleurs / 6, rue Griffard (1980)*

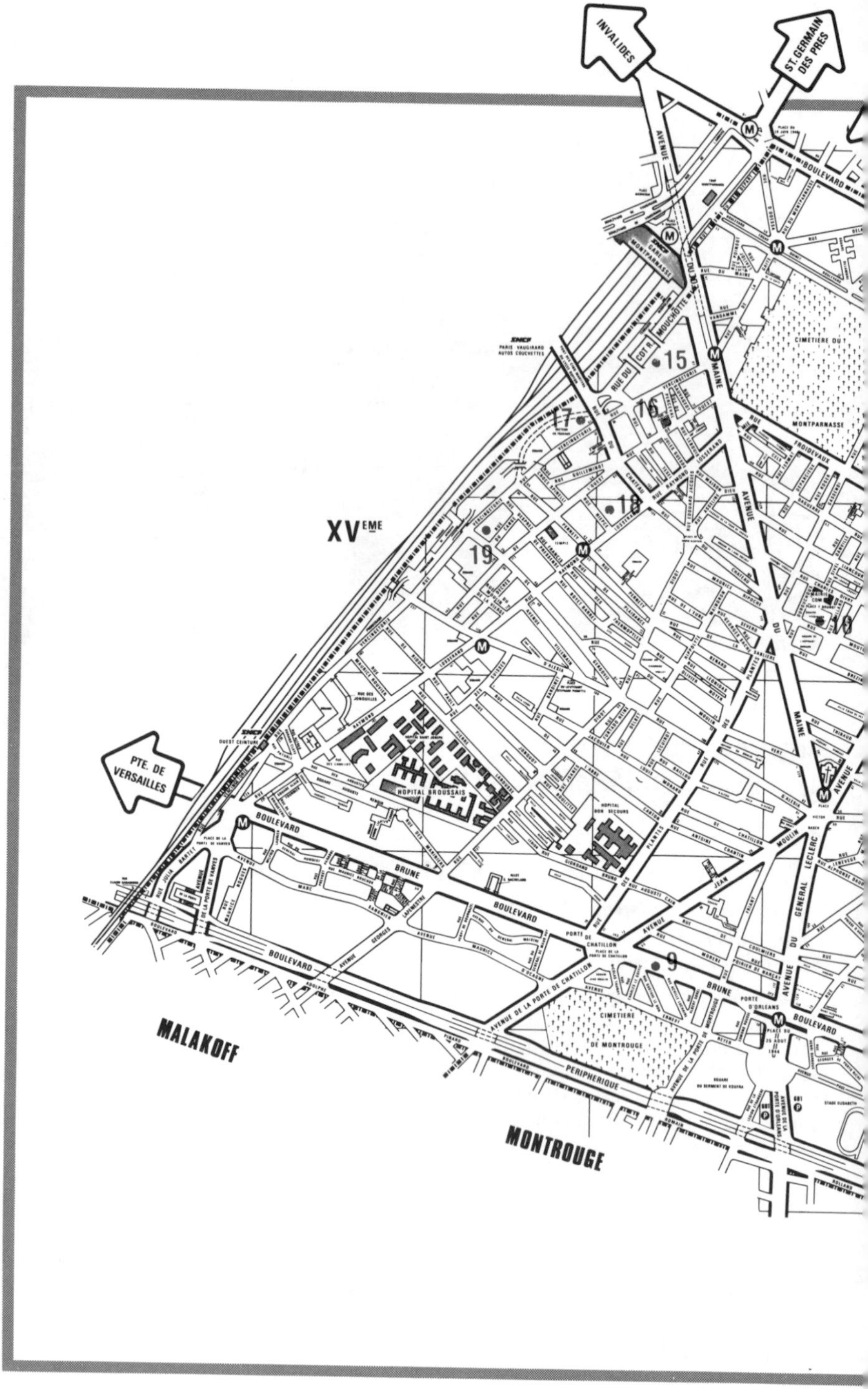
INVALIDES
ST. GERMAIN DES PRES
PTE. DE VERSAILLES
XVEME
MALAKOFF
MONTROUGE
HOPITAL BROUSSAIS
CIMETIERE DU MONTPARNASSE
CIMETIERE DE MONTROUGE
BOULEVARD BRUNE
AVENUE DU MAINE
AVENUE DU GENERAL LECLERC
PERIPHERIQUE
15
16
17
18
19
9

Vᵉᵐᵉ

CHATELET

MONTPARNASSE

GARE D'AUSTERLITZ

GARE D'AUSTERLITZ

PLACE D'ITALIE

XIIIᵉᵐᵉ

BOULEVARD ARAGO

PARC DE MONTSOURIS

UNIVERSITAIRE

BOULEVARD JOURDAN

PTE. D'ITALIE

PERIPHERIQUE

GENTILLY

A6
LYON
CHARTRES
ORLEANS
BORDEAUX

• 7

6 •

XIVᵉ
ARRONDISSEMENT

Charles ABELLA

1930
Logements de standing
et ateliers d'artistes
12, rue Cassini (14ème)
Métro : Port-Royal

La domination des idées du Mouvement moderne a rejeté dans l'oubli voire dans le mépris une série d'architectes « intermédiaires » qui, dans l'entre-deux-guerres, hésitaient entre les idées nouvelles et le néo-clacissisme, et dont on redécouvre aujourd'hui le charme. Abella, architecte peu prolixe – il a construit en tout et pour tout à Paris deux immeubles (cf. p. 170) – est du nombre.

L'immeuble de la rue Cassini vaut surtout pour son bow-window à angle droit, qui forme un spectaculaire porte-à-faux en béton armé, tournant autour de la façade. Il se termine par la tour de la cage d'escalier, dont les moulures obliques suivent le mouvement des marches et les étroites ouvertures verticales indiquent clairement la fonction.

Même souci de compromis entre l'ancien et le nouveau pour le revêtement de la façade en gravillon lavé, qui représente la recherche d'une « troisième voie » entre le béton brut des « modernes » et la pierre des néo-classiques.

Au rez-de-chaussée, frise de X. Haas, qui avait son atelier dans l'immeuble.

À VOIR AUX ALENTOURS :
– *L. SUE / Atelier d'artiste / 3 bis, rue Cassini (1903)*
– *R. MALLET-STEVENS / Logements / 7, rue Mechain – dans la cour (1929)*
– *WASSERMANN / Bureaux / 25 bis, rue Jean Dolent (vers 1940)*
– *P. GIUDICCELLI / Hôtel PLM / 17, bd. Saint-Jacques (1972)*
– *H.P. MAILLARD / Maison / 52, rue Dareau et 53, rue de la Tombe-Issoire (1976)*
– *C. CALMETTES / Logements / 29, av. René Coty (1968)*

Jean-Julien LEMORDANT et Jean LAUNAY. *1929*
Maison-atelier

50, av. René Coty (14ème). Métro : Alésia, Cité Universitaire
Maître d'ouvrage : LEMORDANT

Etrange atelier construit par un peintre qui avait perdu la vue plus de dix ans auparavant, dans les tranchées de la Première Guerre Mondiale.

Célèbre au début du siècle pour ses toiles d'inspiration bretonnante, Lemordant a étudié lui-même sa maison en « sculptant » des maquettes en terre glaise, aidé par l'architecte Jean Launay.

« Je veux une maison simple d'aspect qui ne tire son caractère que de la logique du plan et de l'équilibre soigneusement établi des parties », écrivait Lemordant (1). La construction en proue de navire sur un soubassement aveugle s'explique par la configuration du terrain : une parcelle triangulaire coincée contre le réservoir de la Vanne, et dont l'épaisseur va en diminuant vers le bas, du fait des remparts obliques du réservoir hauts de 7 mètres.

Mort des suites d'une intoxication par les gaz lacrymogènes, en Mai 68 au Quartier Latin, Lemordant n'a jamais expliqué pourquoi il avait construit ce vaste atelier que sa cécité rendait inutilisable et qui, perché sur une muraille escarpée, était peut-être plus un refuge qu'un atelier.

(1) Cité dans « Architecture. Mouvement. Continuité » (n° 52-53)

A VOIR AUX ALENTOURS :
- ZIELINSKY / Maisons / 3-7, rue Gauguet (1929-31)
- A. LURCAT / Maisons / 101 bis, rue de la Tombe-Issoire et 1, 3, 4, 5, 8, 9 et 11, villa Seurat (1924 à 1926)
- A. PERRET / Maison Chana Orloff / 7 bis, villa Seurat (1926)
- X... / Logements / 9, rue Paul Fort (vers 1930)
- J. DECHELETTE / Maison / 55, av. Reille (1925)
- J. DECHELETTE / Maison / 57, av. Reille (1925)
- PERRET / Maison Gaut / 2, square de Montsouris (1923)
- D. ZIELINSKY (?) / Maison / 17, square de Montsouris (vers 1930)

LE CORBUSIER et Pierre JEANNERET

1923
Maison-atelier Ozenfant

53, av. Reille (14ème)
Métro : Porte d'Orléans,
Cité Universitaire
Maître d'ouvrage :
AMEDEE OZENFANT

Personnage insolite — il fut à la fois modiste, peintre et dessinateur de carrosseries chez Hispano-Suiza – Amédée Ozenfant affirme avoir été le premier client français de Le Corbusier (1), qui s'appelait encore Charles-Edouard Jeanneret.

Pour son ami, avec qui il avait fondé la revue « L'Esprit Nouveau » en 1919, Le Corbusier construit avec son cousin Pierre Jeanneret un atelier éclairé à l'origine par des « sheds » vitrés (sorte de toit d'usine en dents de scie), la meilleure solution pour apporter à un peintre la lumière constante dont il a besoin. L'architecture industrielle, uniquement utilitaire et dégagée d'un formalisme suranné, représentait alors une source d'inspiration pour tout le Mouvement moderne. En 1921, Le Corbusier avait d'ailleurs publié « Vers une Architecture » qui s'ouvrait significativement sur un chapitre intitulé « esthétique des ingénieurs ».

Le toit industriel a aujourd'hui été transformé en toit-terrasse plat. Pour le reste, la maison est restée inchangée, avec ses fenêtres horizontales (un des « cinq points » de Le Corbusier, cf. p. 129), les grandes baies vitrées de l'atelier, le petit escalier extérieur en spirale et les volumes intérieurs très fragmentés. '

(1) Cf. « Le Corbusier, l'architecte et son mythe » de Stanislaus von Moos. Ed. « Horizons de France » (1971)

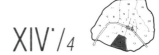

(état originel)

André LURÇAT. *1927*
Villa Guggenbuhl

14, rue Nansouty (14ème). Métro : Cité Universitaire, Alésia

« L'espace intérieur engendre des volumes qui se situent extérieurement d'une manière purement logique et utilitaire, et d'où l'architecte peut pourtant tirer un résultat plastique », disait Lurçat (1)

A l'origine (cf. photo), les fenêtres étaient deux fois moins nombreuses qu'aujourd'hui. Elles étaient disposées irrégulièrement sur la façade pour déterminer un jeu de surfaces nues et d'ouvertures, de verticales et d'horizontales à l'esthétique très subtile : baie horizontale de la chambre de service au-dessus des garages, triple fenêtre des pièces de séjour sur la terrasse, bow-window vertical de l'atelier en duplex avec, à sa droite, la fenêtre d'une chambre.

Depuis, les murs ont été systématiquement percés pour rentabiliser l'espace : bloc plein des garages transformé en habitation, terrasse de gymnastique (au 4ème étage) transformée en chambre etc.

Pour accentuer les jeux de volumes, la villa était initialement peinte en deux couleurs : enduit soutenu sur la façade, enduit blanc pour le bow-window, la dalle sur la terrasse, et une bande verticale qui descendait du toit jusqu'à la porte latérale. Le monochromatisme actuel, ainsi que les percements intempestifs, ont fait perdre à la maison une partie de son caractère sculptural.

(1) In « Architecture » (1928)

A VOIR AUX ALENTOURS :
- R. FISCHER / *Atelier d'artiste* / 5, rue Georges Braque (1929)
- A. PERRET / *Maison de G. Braque* / 6, rue Georges Braque (1927)
- ZIELINSKY / *Maison* / 8, rue Georges Braque (1932)
- P. RUFENER / *Logements* / 15, rue du Parc Montsouris (1974)
- X... / *Station de métro* / 24, bd. Jourdan (vers 1930)
- M. ROUX-SPITZ / *Ateliers d'artistes* / 3, rue de la Cité Universitaire (1930)
- J.P. de SAINT-MAURICE / *Ateliers d'artistes* / 21, rue Gazan (vers 1930)

Le CORBUSIER et Lucio COSTA

1959
Pavillon du Brésil

Cité Universitaire, av. de la Porte de Gentilly (14ème)
Métro : Cité Universitaire

La première « Cité Radieuse » – l'unité d'habitation de Marseille – était inaugurée depuis sept ans. Ici, Le Corbusier ne fait que construire un « clone » de ce type d'immeuble supposé universellement valable, c'est-à-dire pouvant être posé n'importe où, sans égard pour l'environnement urbain ou le climat.

Vingt-sept ans après la construction du pavillon suisse (cf. page ci-contre), le traitement d'un programme identique permet de mesurer l'évolution de sa pensée. Le Corbusier s'est totalement converti au « brutalisme » du béton brut, qui s'avérera bien mal supporter le vieillissement et la pollution. Les chambres d'étudiants sont prolongées par des loggias à claustrat, peintes intérieurement aux couleurs du drapeau brésilien, mais dont le rôle de brise-soleil semblait plus indispensable sur une façade marseillaise que sur une façade parisienne orientée à l'est.

Une petite construction à la toiture oblique joue en contrepoint du solide bâtiment orthogonal. Une « thèse-antithèse », comme la courbe villa La Roche par rapport à la rigide villa Jeanneret (cf. p. 192), ou la cage d'escalier concave de l'orthogonal pavillon suisse.

LE CORBUSIER et Pierre JEANNERET

1932
Pavillon Suisse

Cité Universitaire, 7 bd. Jourdan (14ème). Métro : Cité Universitaire
Maître d'ouvrage : COMITE DES UNIVERSITES SUISSES

Le Corbusier, qui n'avait construit jusqu'ici que des maisons ou villas pour privilégiés, réalise pour la première fois un immeuble collectif. Boîte fermée sur les côtés et isolée sur son terrain au milieu de la verdure, le pavillon suisse est la première étape de vingt ans de recherches qui aboutiront à la « Cité Radieuse », modèle supposé universellement valable de la « machine à habiter » collective.

Il y applique intégralement les « cinq points » fondamentaux de son architecture : pilotis qui libèrent le sol pour la circulation et la végétation, façade « rideau » librement dessinée sans poutre ni pilier extérieurs, planchers libres de toute cloison *a priori*, fenêtres en longueur et toit aménagé en terrasse.

Pour un budget notoirement insuffisant de 3 millions de francs (= 7,4 millions de F 1986), Le Corbusier réalise un véritable tour de force technique. Les gros pilotis s'enfoncent sur des poteaux à 19,50 m dans le mauvais sous-sol, et supportent un plateau en béton sur lequel est « posé » l'immeuble.

A l'arrière, l'escalier occupe un volume autonome, dont la courbe douce s'oppose à la sévère orthogonalité du bâtiment, une opposition lignes courbes – lignes droites déjà vue dans les villas La Roche et Jeanneret (cf. p. 192).

A VOIR AUX ALENTOURS :
– *MEDELIN et U. CASSAN / Pavillon du Mexique / Cité Universitaire (1953)*

Claude PARENT, Mossem FOROUGHI et Hedar GHIAI
André BLOC, plasticien-conseil

1968

Fondation Avicenne (ex-pavillon d'Iran)

7, bd. Jourdan (14ème)
Métro : Cité Universitaire
Maître d'ouvrage : ETAT IRANIEN

Un « immeuble-suspendu ». Le métal a été choisi ici pour son « aspect puriste, ses volumes rigoureux, et surtout ses possibilités techniques : le bâtiment est accroché, par blocs de quatre étages, à trois grands portiques en acier qui s'enfoncent profondément dans le sol sous lequel se trouvent des carrières désaffectées ».

Aux portiques « volontairement massifs pour affirmer la structure », s'oppose un escalier en double spirale inversée qui « dynamise la construction ».

La grande hauteur du bâtiment – inhabituelle dans la Cité Universitaire – s'explique par les nuisances du boulevard périphérique qui passe à ses pieds : « à cause du bruit, il a été impossible d'ouvrir des chambres sur la façade côté périphérique. Il a donc fallu rattraper en hauteur ce qui n'a pas pu être mis en épaisseur ».

Dressé spectaculairement au bord du périphérique, en harmonie avec son échelle et son rythme, l'immeuble est parfaitement « lisible » d'un coup d'oeil par l'automobiliste. Cela rend d'autant plus regrettable l'énorme publicité placée récemment sur son toit et qui dénature la pureté de ses volumes.

Willem-Marinus DUDOK. *1928*
Pavillon Néerlandais

63, bd. Jourdan (14ème). Métro : Cité Universitaire
Maître d'ouvrage : EDUCATION NATIONALE

Dans les années 20, les architectes du Mouvement moderne s'intéressent beaucoup à l'architecture industrielle qui combine des volumes purs, sans s'embourber dans des considérations décoratives qu'ils estiment dépassées.

Le pavillon néerlandais ressemble ainsi de manière frappante au silo à grains de Buenos-Aires cité en 1913 par Gropius pour exalter les voies nouvelles ouvertes à l'architecture par les ingénieurs guidés par des motivations purement fonctionnelles.

Cet intérêt pour l'utilitarisme de l'ingénieur n'empêche pas Dudok, peut-être le plus grand architecte hollandais de l'entre-deux-guerres, de pousser très loin une subtile recherche plastique. Le pavillon néerlandais est ainsi un véritable jeu d'horizontales, tranchées par des volumes verticaux.

Même composition des pleins et des vides : la massivité compacte des murs blancs est soulignée par les fines bandes sombres des fenêtres. Ces dernières sont dotées de petits carreaux typiques des maisons hollandaises, comme pour signifier : « c'est une maison de chez nous ».

A VOIR AUX ALENTOURS :
- *M. SOLOTAREFF / Logements / 95, bd. Jourdan (1934)*
- *L.H. BOILEAU / Logements / 6, av. Paul Appel (1935)*
- *POUTHIER / Logements / 2-8, place du 24 Août 1944 (1923)*
- *D. et L. BRANDON / Logements / 117, bd. Jourdan et 138, bd. Brune (1926)*
- *C. GENETRE et L. MOUNIE / Logements / 189, bd. Brune (1936)*

**AGENCE
D'ARCHITECTURE
DE L'OFFICE
D'HABITATIONS
A BON MARCHE**

Architecte en chef :
M. MALINE

1935
Ensemble HBM (732
logements sociaux)

*1, rue Gustave Le Bon
(14ème)
Métro : Porte d'Orléans
Maître d'ouvrage :*
OFFICE D'HBM DE PARIS

Exemple de la qualité qu'atteint la construction sociale dans les années 30 (cf. p. 219).

Avec l'élargissement aux classes moyennes de la clientèle des logements de la Ville, se manifeste de plus en plus une exigence de qualité dans le décor urbain, fort éloignée des grands ensembles-casernes de l'après-Première Guerre Mondiale, tels ceux de la rue de Fécamp (cf. p. 104) ou de Ménilmontant (cf. p. 258).

Ici la composition tourne à la virtuosité. Loin des mornes façades aux percements uniformes, ce coin de rue est dessiné comme une véritable composition abstraite : refus de la symétrie, briques et ciment blanc soulignant les jeux de volumes, bow-windows et atelier d'artiste.

Ce moment miraculeux – point de rencontre entre le savoir-faire des « anciens » et les idées du Mouvement moderne – durera peu. Après l'interruption de la construction dûe à la Deuxième Guerre Mondiale, ce sont les barres et tours grises posées sur de tristes espaces verts qui deviendront la norme pour une génération d'architectes qui brouilleront durant des années la France avec son architecture.

A VOIR AUX ALENTOURS :
– *Agence d'architecture HBM / Ensemble de logements / av. du Général Maistre (1935)*
–*Agence d'architecture HBM / Ensemble de logements / 64, bd. Brune (1934)*
– *G. TOURY / Centre de tri postal / 125, bd. Brune (1961)*
– *B. BOURGADE, M. LONDINSKY et G. LUQUIENS / Logements / 40, av. Jean Moulin (1984)*

– *A. CHATELIN / Logements / 3 bis, rue Antoine Chantin (1953)*
– *X... / Logements / 7, rue Antoine Chantin (vers 1930)*
– *B. BOURGADE et M. LONDINSKY / Ecole / 15, rue Antoine Chantin (1982)*
– *S. DESSAUER / Ateliers d'artistes / 26, rue des Plantes (1930)*

Georges SEBILLE

1933
Mairie annexe du 14ème
arrondissement

*26, rue Mouton-Duvernet
(14ème)*
Métro : Mouton-Duvernet
**Maître d'ouvrage :
VILLE DE PARIS**

133

L'accroissement de la population du 14ème arrondissement dans l'entre-deux-guerres avait rendu nécessaire une extension des services municipaux logés dans l'ancienne mairie.

Un bâtiment qui manifeste pleinement la puissance publique à une époque où celle-ci – crise économique, guerre mondiale – ne cesse de se renforcer : proportions massives, composition très symétrique, fenêtres en double ou triple hauteur et un grand balcon qui semble attendre un quelconque Duce ou Führer.

A l'intérieur, vastes locaux publics : bibliothèque, salles de réunions et de fêtes d'une surface allant jusqu'à 400 m², salle de cinéma, tribunal d'arrondissement et dispensaire. La décoration – halls et escaliers de marbre, vitraux et bas-reliefs de Raymond Delamarre évoquant « l'Action » et « la Pensée » – participent de ce même monumentalisme.

A VOIR AUX ALENTOURS :
– *R. CHAMPOUILLON / Logements / 115, av.
Du Maine (1962)*
– *X... / Logements / 23, rue Gassendi (1930)*
– *G. GRIMBERT / Logements / 23, rue Froide-
vaux (1929)*

134

**GAUTHIER (père) et
GAUTHIER (fils)**

1927
Ateliers d'artistes

11, rue Schoelcher (14ème)
Métro : Denfert-Rochereau

Un immeuble « d'ateliers d'artistes » – en fait des logements en forme d'ateliers d'artistes – construit à l'époque où ce type de logement connaissait une vogue croissante dans la bourgeoisie éclairée (cf. p 137).
Des volumes modernes, très verticaux, curieusement couronnés par une toiture mansardée traditionnelle.
Pour faire profiter le maximum d'appartements de l'espace de verdure du cimetière Montparnasse qui s'étend devant l'immeuble, la cour a été ouverte sur la rue, au lieu d'être placée au coeur de l'ensemble.

A VOIR AUX ALENTOURS :
– *FOLLOT / Maison / 5, rue Schoelcher (1911)*
– *X... / Ecole / 21, rue Boissonnade (vers 1930)*
– *J.A. FOURQUIER et J. FILHOL / Pharmacie de l'hôpital St. Vincent de Paul / 74, av. Denfert-Rochereau (1986)*

**Gilles BOUCHEZ,
Didier MORAX et
Francis LEROY**

1975
60 logements de
standing et bureaux
(1.800 m²)

*3, rue Campagne-Première
et 8, rue Boissonnade
(14ème)
Métro : Raspail, Port-Royal
Maître d'ouvrage : SERDI*

135

Un immeuble qui « joue sur les oppositions lisse/rugueux et chaud/froid des matériaux bruts dont il est composé ».

Pour les architectes, « le béton brut, correctement traité, permet de retrouver l'esprit de cet autre matériau brut qu'est la pierre de taille ». A une traditionnelle façade « plaquée marbre », ils ont préféré un « jeu sur le béton : brut de décoffrage dans les parties protégées de l'eau, et cannelé dans les parties exposées, pour canaliser le ruissellement et éviter au maximum les coulées noirâtres ». Même jeu sur les matériaux bruts pour les menuiseries d'aluminium, « lisses sur le béton grenu » et les jardinières en bouleau « dont la chaleur s'oppose au béton froid ».

Pour éviter une disgracieuse « dent creuse », ils ont placé les deux premiers étages de l'immeuble en encorbellement, ne respectant pas le nouvel alignement de la rue que pour le rez-de-chaussée et les étages supérieurs.

Tous les logements sont traversants, et en duplex, desservis par des couloirs tous les étages et demi. Les bureaux occupent le rez-de-chaussée et le premier sous-sol de la vaste cour intérieure, éclairé par des patios.

A VOIR AUX ALENTOURS :
- *B. ELKOUKEN | Logements | 146, bd. du
  Montparnasse (1934)*

André ARFVIDSON

1912
Ateliers d'artistes

*31, rue Campagne Première
(14ème)
Métro : Raspail*

Un immeuble de transition entre l'architecture décorative de la fin du siècle et l'architecture de volumes du Mouvement moderne.

Son principal intérêt est la façade en carrelage de grès flammé de Bigot, un chimiste qui avait mis au point une céramique spéciale pour la construction, utilisée par des architectes – notamment Perret rue Franklin (cf. p. 176), et Baudot sur l'église de la place des Abbesses (cf. p. 215) – qui hésitaient à exposer franchement le béton de leurs constructions. Peut-être avaient-ils des doutes sur son étanchéité, ou encore pressentaient-ils combien le béton brut vieillit mal.

Mais à côté des réminiscences Art Nouveau des carrelages, les grandes baies vitrées et les appartements en duplex annoncent déjà les années 20 et 30, quand le modèle de l'atelier d'artiste va devenir la forme d'habitat en vogue parmi la bourgeoisie éclairée (1). L'équivalent, dans l'entre-deux-guerres, des lofts actuels.

(1) Cf. page suivante, ainsi que l'étude de François Chaslin dans « Feuille » n° 7 (Hiver 1983-84).

Bruno ELKOUKEN

1934
Logements de standing
et cinéma

216, bd. Raspail (14ème)
Métro : Vavin, Raspail

137

Au coeur de Montparnasse, centre de la vie culturelle parisienne de l'entre-deux-guerres, l'expression la plus raffinée de l'habitat en vogue parmi la bourgeoisie éclairée de l'époque : l'atelier d'artiste, homologue un demi-siècle plus tôt de nos actuels lofts.

Signe de la destination bourgeoise de l'immeuble, très peu de ses « ateliers » remplissent la condition première d'un véritable atelier d'artiste : l'orientation au nord qui permet d'obtenir une lumière égale à toute heure du jour. Mais les préoccupations esthétiques de l'époque – recherche de la lumière maximum, jeux de volumes blancs – faisaient de l'atelier d'artiste en double hauteur un modèle parfait qui ne demandait qu'à être adapté aux nécessités de la vie bourgeoise.

Elkouken – architecte d'origine juive polonaise qui a dû s'exiler aux Etats-Unis lors de la deuxième guerre mondiale – n'a construit que cinq immeubles à Paris. Ici il s'est servi des verrières en bow-windows pour accentuer le jeu de volumes cubiste de la façade. Le très subtil graphisme des menuiseries métalliques noires contribue à cette composition abstraite.

Même élégance pour la salle de cinéma – aujourd'hui fermée au public – au volume dépouillé et aux murs incurvés.

A VOIR AUX ALENTOURS :
- *H. ASTRUC / Ateliers d'artistes / 9, rue Delam-bre (1926)*
- *J. BARDET / Logements / 55, rue du Montpar-nasse (1984)*
- *G. BLANCHE / Logements / 11, rue d'Odessa (1937)*

138

Pierre DUFAU

1974
Hôtel Montparnasse
Park (ex-Sheraton)

19, rue du Commandant
Mouchotte (14ème)
Métro : Montparnasse-
Bienvenue, Gaîté
Maître d'ouvrage :
SHERATON

Un gratte-ciel construit comme une voiture. « Le budget de Sheraton était limité (moins de 10 millions de francs, soit le tiers du prix habituel d'un hôtel de luxe de cette dimension). Il fallait résoudre la quadrature du cercle : faire une architecture bon marché qui ait un aspect de qualité ».

La solution : « une façade en tôles d'acier spécialement étudiées, embouties et peintes à chaud en usine, pratiquement inaltérables ». Un procédé qui a été repris et développé deux ans plus tard pour le siège de la SNECMA (cf. p. 160).

Restait à donner au gratte-ciel un « aspect élégant dans le ciel parisien ». « Les volumes blancs – un immeuble haut doit être blanc, sinon il ressemble à une tablette de chocolat, comme la tour Montparnasse – ont été cassés en avancées et en retraits pour dessiner un effet de silhouette, et les fenêtres ont été groupées en fines bandes marron ininterrompues ».

A VOIR AUX ALENTOURS :
– *J.C. BERNARD / Logements / 96-102, av. du*
   Maine (1983)

Antoine GRUMBACH.
Didier GALLARD, ass.

139

1985
70 logements intermédiaires

Place Perceval, 20, rue de l'Ouest, (14ème). Métro : Gaité
Maître d'ouvrage : UAP

Grumbach veut « réparer la ville après les désastres des grandes opérations urbaines de l'après-guerre ». Ici, à une centaine de mètres de l'autoroute qui devait éventrer le quartier et des hautes constructions de Maine-Montparnasse (cf. p. 149), c'est par la construction d'une place qu'il cherche à « articuler la ville nouvelle et la ville ancienne ».

Pour donner à cette place une échelle de « monumentalité domestique », il rejette « l'empilement d'étages identiques de 2,5 m de haut » et creuse sa façade de vastes « loges », tantôt concaves, tantôt convexes. La place doit être ultérieurement complétée par deux bâtiments de Christian de Portzamparc (à gauche) et Jean-Claude Bernard (à droite), qui développeront également ce thème de la loge.

Le mélange des matériaux – céramique grise et brique – marque une « haine du béton industriel blanc ». Mais il exprime aussi le désir de « renouer avec les matériaux des ateliers d'artistes du quartier ». Encore une façon de « tisser l'architecture contemporaine avec la ville ancienne ».

A VOIR AUX ALENTOURS :
– *J.C. BERNARD / Ecole / 17, rue Vercingétorix (1984)*

140

Ricardo BOFILL

1985
270 logements sociaux

78, rue du Château (14ème)
Métro : Gaité
Maître d'ouvrage : SAGI

Bofill veut réconcilier le grand public avec l'architecture moderne. Pour cela, il puise largement dans « la mémoire et l'inconscient collectifs » populaires, qu'il estime nourris de nostalgie pour l'architecture classique française : colonnes, fronton, pierre de taille etc.

Si son projet pour les Halles a été rejeté, il a construit à Saint-Quentin-en-Yvelines un simili-palais de Versailles et, à Marne-la-Vallée, un pseudo-théâtre antique. Ici, il réalise encore un de ces lieux urbains – ensemble de grandes places rondes inspirées de l'architecture baroque – qu'il affectionne.

Mais si ses HLM ressemblent à des monuments classiques, il assure : « je ne fais pas de pastiche ». Car il se veut « pleinement moderne » en détournant, avec dérision, les éléments du passé, qu'il utilise à « contre-emploi ». Ses chapiteaux ne soutiennent rien du tout, ses colonnes sont en verre et, de plus, elles sont habitées ! (ce sont les bow-windows des salles de séjour des appartements).

Même jeu de cache-cache pour les matériaux : contrairement aux apparences, les façades ne sont pas en pierre de taille sculptée, mais sont constituées d'éléments préfabriqués en usine en béton imitant parfaitement la pierre, et d'une finition impeccable.

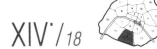

**André TIERCHANT et
Christian DUGELAY**

1984

Bureaux (3.500 m²)

*13, rue Niepce (14ème)
Métro : Pernety*
Maître d'ouvrage : COGIM

141

Dans une rue calme du 14ème arrondissement, bordée de constructions sans grand caractère, recherche de la monumentalité pour ce siège d'une société informatique de pointe désireuse de « donner d'elle-même une image neuve et dynamique ».
Fenêtres en double hauteur qui se poursuivent dans le brisis du toit, grand porche surmonté d'une arche, insolite revêtement en grès vert : l'immeuble cherche à « marquer la rue par son poids, en se démarquant de son environnement banal ».
Mais les grandes ouvertures vitrées ne sont pas seulement un effet de style : sur ce terrain étroit (moins de 15 m) et très profond, il fallait aussi assurer un maximum de luminosité intérieure aux bureaux et salles d'activités.
Le projet initial, qui n'a pu être réalisé, prévoyait la construction d'un deuxième immeuble identique (au n° 9), séparé du premier immeuble par une grande verrière (au n° 11).

A VOIR AUX ALENTOURS :
- *A. ZUBLENA / Logements / 54, rue de l'Ouest
  (1986)*
- *P. MALLUIN et J.P. MAUDUIT / Logements /
  83, rue Pernety (1986)*
- *N. SOULIER / Logements / 99, rue Vercingétorix
  (1985)*

Alain PAYEUR.

**Jean CASTEX et
Philippe PANERAI, ass.**

1984

93 logements sociaux

***107, rue Vercingétorix et 10,
rue Ducange (14ème)
Métro : Pernety, Plaisance
Maître d'ouvrage : SAGI***

Retour à « l'architecture parisienne traditionnelle » dans un quartier martyr de la reconstruction des années 60 et qui devait être éventré par une autoroute conduisant à la Gare Montparnasse, transformée depuis en coulée verte.

Intervenant après l'abandon de cette politique du bulldozer, les architectes ont voulu ici « reconstituer le tissu urbain et retracer des rues traditionnelles pour que le quartier continue à vivre comme il a toujours vécu ».

Rien ne manque à ce retour aux sources : « façades découpées verticalement, pour retrouver le rythme des immeubles anciens ; soubassement en béton bouchardé à rainures marquant nettement la base du bâtiment ; étages « nobles » à balcon aux 2ème et 5ème niveaux ; petits porches, et toiture en simili-zinc ».

Sur la rue Ducange, une cour-passage public vers la rue Vercingétorix, pour « retrouver les coeurs d'îlots anciens, vivants et hospitaliers ».

A VOIR AUX ALENTOURS :
- *E. PASZKOWSKI / Foyer de personnes âgées / 88, rue de Gergovie (1977)*
- *PAYRET et DORTAIL / Ensemble HBM / 156, rue Raymond-Losserand (1928)*
- *P. SARDOU / Eglise Notre-Dame du Rosaire / 174, rue Raymond-Losserand (1911)*
- *M. BURSTIN / Bureaux / 212, rue Raymond-Losserand (1978)*
- *D. DRUMMOND / Logements / 233, rue Vercingétorix (1986)*
- *DUVAL, GONDE, DRESSE et ONDIN / Institut de puériculture / 26, bd. Brune (1933)*

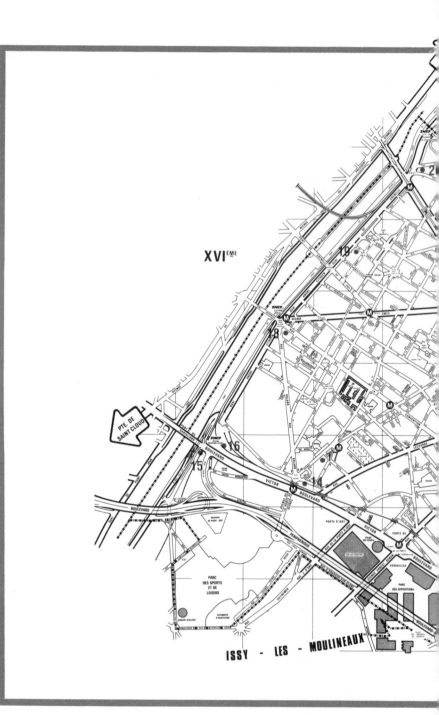

144

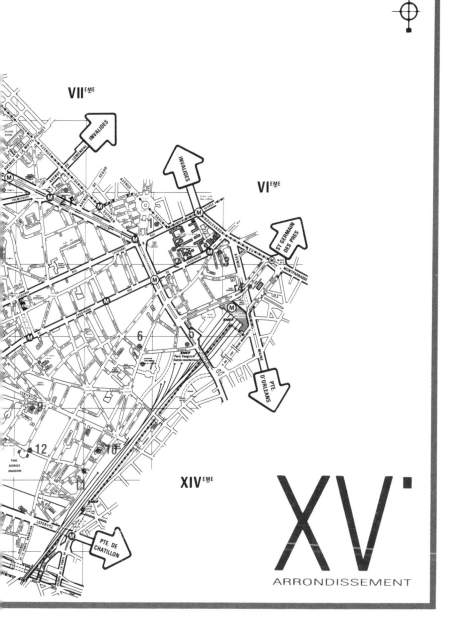

VIIEME

VIEME

XIVEME

INVALIDES

INVALIDES

ST GERMAIN DES PRES

PTE D'ORLEANS

PTE DE CHATILLON

XV[.]

ARRONDISSEMENT

Didier MAUFRAS et Hervé DELATOUCHE

1982
7 logements de standing

58, av. de Saxe (15ème)
Métro : Duroc, Pasteur, Sèvres-Lecourbe
Maître d'ouvrage : LA MONDIALE

Un immeuble de luxe conçu pour avoir « l'aspect intime d'un grand hôtel particulier ».

D'où « le regroupement des étages par deux (1er-2ème et 5ème-6ème) qui réduit visuellement le nombre des niveaux et renvoie à l'image des « étages nobles » à grande hauteur sous plafond de l'architecture classique ».

La « volonté de ménager des espaces de transition entre l'intérieur et l'extérieur de l'immeuble », se marque par le creusement des entrées (hall et parking), mais surtout la grande loggia à balcon qui unifie la façade, et rappelle celle de la Maison Tzara (cf. p. 216).

Par ce même souci d'unité, la façade rigoureuse est un jeu sur le carré : formée d'un double carré de 10 m sur 20 m, elle est percée de cinq grandes ouvertures carrées et recouverte de carrelage de 0,6 m × 0,6 m, soigneusement callepiné.

L'arrière du bâtiment est, en revanche, nettement moins rigoureux, avec ses balcons semi-cylindriques, et « un retrait aux deux derniers niveaux, qui crée des terrasses-coursives de paquebot, articulées par le cylindre de l'escalier, en brique de verre ».

XV'/2

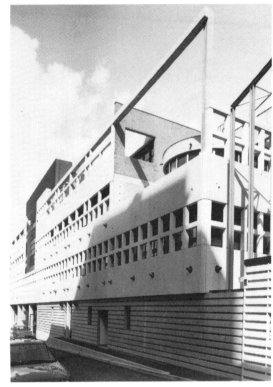

Paul CHEMETOV.

André **CHANTALAT** et
Serge **GOLDSTEIN**, ass.

1984

Morgue et laboratoires
de l'hôpital Necker

149, rue de Sèvres (15ème)
Métro : Duroc,
Sèvres-Lecourbe
Maître d'ouvrage :
ASSISTANCE PUBLIQUE

Un « bâtiment sobre, par volonté de ne pas créer un événement supplémentaire dans un environnement déjà hétéroclite et tourmenté », celui de l'hôpital Necker, constitué au fil des siècles par une accumulation de constructions disparates.

Seule variété dans cette architecture austère, les « options de façade qui signalent nettement les différentes fonctions de l'immeuble : soubassement en béton brut cannelé pour la morgue ; maillage de béton gravillonné des laboratoires, laissant entr'apercevoir les gaines techniques rouge vif ; panneaux semi-opaques pour la lingerie, et verrières des ateliers ».

La cour de départ des convois mortuaires – au premier plan – est couverte d'une pergola vitrée « pour éviter les vues plongeantes des immeubles voisins, et créer une lumière diffuse dans un lieu de recueillement ».

A VOIR AUX ALENTOURS :
– *G. MAURIOS / Crèche / face au bâtiment de Chemetov (1983)*
– *A. WOGENSKY / CHU Necker / 156, rue de Vaugirard (1968)*
– *A. GALEY / Garage Citroën / 165, rue de Vaugirard (1928)*
– *ACAUR / SAMU / 144, rue de Vaugirard (1986)*

Léon-Joseph MADELINE

1936
96 logements de
standing

131, rue de Vaugirard
(15ème)
Métro : Falguière
Maître d'ouvrage :
GARNIER FRERES

Les éditeurs Garnier, propriétaires du terrain, avaient chargé Madeline d'établir les plans d'une cité-jardin privée partant de la rue de Vaugirard. Mais seule la première tranche put être réalisée, la construction étant interrompue pendant la 2ème Guerre Mondiale et jamais reprise après.

Au-delà de l'entrée monumentale encadrée par deux arrondis soulignés par des bandeaux en grès flammé brun foncé, la rue devait se poursuivre avec, à intervalles réguliers, des bâtiments transversaux percés d'une grande arcade, à l'image de celui qui a été réalisé.

La façade est en carreaux de grès cérame cassés, semblables à ceux réalisés la même année par Bassompierre, place du Rond-Point du Pont Mirabeau (cf. p. 163). Ce nouveau matériau répondait au besoin de trouver un revêtement auto-lavable. Mais il était également une sorte de compromis pour les architectes « intermédiaires », tels Madeline, qui refusaient tout à la fois la tradition passéiste de la pierre de taille et l'aspect provocateur des façades en béton des architectes modernistes radicaux.

A VOIR AUX ALENTOURS :
– *J. DEBAT-PONSAN / Bureaux PTT / 18, bd. de*
Vaugirard (1935)

**Eugène BEAUDOUIN,
Urbain CASSAN,
Louis HOYM de MARIEN
et Jean SAUBOT**

1973
Tour Montparnasse

*Place Raoul Dautry (15ème)
Métro : Montparnasse-
Bienvenue*
Maître d'ouvrage :
INVESTISSEURS MULTIPLES

149

Premier gratte-ciel construit à Paris *intra-muros*, symbole pour ses détracteurs de la mainmise des promoteurs privés sur la rénovation de la capitale, la tour Montparnasse a été l'objet d'une des plus furieuses polémiques esthético-politiques de l'après-guerre. Décidé dès 1958, le principe de la construction d'un immeuble de grande hauteur à l'emplacement de l'ancienne gare Montparnasse prévoyait initialement une gigantesque « barre » de 150 m de haut sur 100 m de long. Devant la levée de boucliers, il faudra dix ans de débats, une modification radicale du projet et l'appui du ministre de la Culture, André Malraux, pour que la tour reçoive son permis de construire en 1968.
Subtilement désaxée par rapport à la rue de Rennes, elle en conclut la perspective sans la boucher.
Curieux retournement de l'histoire : aujourd'hui ses 210 m de hauteur (57 étages) ne dérangent plus beaucoup. Moins en tous cas que les énormes « barres » hautes de 50 m et longues de plusieurs centaines de mètres de l'ensemble Maine-Montparnasse dont la construction, elle, n'avait pas soulevé la moindre polémique. Quant à l'ensemble commercial qui se trouve au pied de la tour, qui a jamais pris plaisir à se promener devant ses façades grises battues par les courants d'air ?

A VOIR AUX ALENTOURS :
– E. BEAUDOUIN, R. LOPEZ, L. HOYM DE MARIEN, L. ARRETCHE et J.R. DUBUIS-

SON / Ensemble Maine-Montparnasse / Place Raoul Dautry, bd. de Vaugirard et rue du Commandant Mouchotte (1964)

René GENIN et Jean-Louis BERTRAND

1975

Siège du Crédit Agricole (20.000 m² de bureaux)

90, bd. Pasteur (15ème)
Métro : Pasteur. Gaité
Maître d'ouvrage : CAISSE NATIONALE DE CREDIT AGRICOLE

Un immeuble dessiné pour « se démarquer de la froideur et de la rigidité des volumes de l'ensemble Maine-Montparnasse, qui est son voisin immédiat ».

Les « accordéons » de la façade obéissent à ce désir d'animation. Mais, conçus par un spécialiste des « bureaux paysagés », ils ont également un rôle pratique : « les décrochements diminuent la réflexion des sons dans les vastes bureaux de 900 m², et créent une animation intérieure qui améliore les conditions de travail ».

Pour obtenir la monumentalité nécessaire au siège social d'un des tous premiers établissements bancaires français, le bâtiment, grand volume en verre réfléchissant, a été « posé » sur un soubassement de deux étages – qui devait à l'origine être couvert d'un jardin – et qui contient les espaces d'accueil et les grandes salles de réunions de la banque.

E.D.

1985

28 logements sociaux

106, rue Falguière (15ème)
Métro : Volontaires
Maître d'ouvrage : RIVP

151

Une construction qui « refuse la division traditionnelle entre une façade publique sur rue et une cour intérieure conçue comme un espace plus ou moins résiduel ». Pour « faire percevoir à la fois l'intérieur et l'extérieur de l'immeuble », les architectes ont « pratiqué une percée vers le cœur de l'îlot, jouant ainsi sur deux profondeurs : la façade et le fond de la cour ». Sur ce dernier, une fresque en trompe-l'œil, figure un mur en faux marbre, ponctué d'arcades et de statues.

« Le coin de rue joue le rôle d'un portail : point fort de la construction avec ses volumes verticaux, ses appartements en duplex aux proportions monumentales et ses toits arrondis évoquant une voûte ».

Les avancées en redents au 4ème étage des ailes de l'immeuble sont « un hommage aux constructions de Patout » (cf. p. 159).

Alexandre GHIULAMILA

1985
Ecole Maternelle

15, rue Aristide Maillol, 121, rue Falguière, (15ème)
Métro : Volontaires
Maître d'ouvrage : SAGI

Une petite école à colonnes et balcons-jardinières pour plantes tombantes, « décor théâtral qui marque la solennité du lieu public, tout en conservant les proportions aimables d'un bâtiment pour enfants ».

« Enveloppante et rassurante », la façade blanche, plein sud est incurvée pour « créer un accident entre les hauts immeubles environnants ». Cela lui permet également de « recevoir le maximum d'ensoleillement et d'augmenter sensiblement la taille de la cour de récréation ».

A VOIR AUX ALENTOURS :
- *AURA-3 / Logements / 10, rue Aristide Maillol (1985)*
- *A. GHIULAMILA / Logements / 127, rue Falguière (1985)*
- *J. BELMONT, A. PELLETIER et J.P. GAUTRON / Ecole / 66, rue de la Procession (1979)*
- *A. BECHU / Logements / 66, rue d'Alleray (1980)*
- *M. ROUX-SPITZ / Centre de chèques postaux / 16, rue des Favorites (1933)*
- *R. MALLET-STEVENS / Maison Barillet / 15, square Vergennes (1932)*
- *M. HENNEQUET / Logements / 11, place Adolphe Cherioux (1933)*

**Dominique
HERTENBERGER
et Jacques VITRY**

1985
Crèche (60 berceaux)

19, rue Charles Lecoq (15ème)
Métro : Félix Faure
Maître d'ouvrage : PTT

153

Une « inspiration d'hôtel particulier pour donner l'intimité nécessaire à une crèche accueillante ».

A l'opposé des constructions qui sont un « empilement d'étages tous identiques », l'immeuble « est un objet fini qui commence par un soubassement, et se termine avec un fronton largement ouvert ». Dans le même esprit, « les deux niveaux intermédiaires ont été regroupés en un faux étage noble, pour échapper aux proportions étriquées des étages de 2,5 m. de haut ».

La séparation en trois corps de bâtiment nettement marqués « se rattache à l'esprit de l'hôtel particulier avec une entrée très affirmée, en même temps qu'elle crée, à l'intérieur, la fantaisie de multiples recoins ».

A VOIR AUX ALENTOURS :
– P. GAZEAU / Ecole / 6, rue Gerbert (1985)
– J. MATHIOT / Logements / 103, rue de l'Abbé
  Groult (1967)

Auguste ARSAC,
Jacques
BRANCHEREAU, collab.

1983
Bureaux et 1 logement

52, rue de Dombasles
(15ème)
Métro : Convention
Maître d'ouvrage :
VILLE DE PARIS

Une opération de « raccomodage urbain ». Les architectes ont essayé « de retrouver la continuité de la rue en faisant la transition entre un petit immeuble ancien et un immeuble récent deux fois plus haut, et situé très en retrait ».
La solution : « une façade en décrochements successifs qui visuellement diminue la différence d'alignement entre les deux immeubles de part et d'autre ». Cela permet en outre d'augmenter l'ensoleillement de la construction, orientée au nord-est.
Dans le même esprit d'intégration à la rue existante, les fenêtres ont été dessinées à l'échelle de celles des immeubles voisins, de même que le toit de l'unique logement, en retrait au 4ème étage.

A VOIR AUX ALENTOURS :
– *B. ZEHRFUSS / Tour de logements / 8, rue*
Georges Pitard (1969)

GROUPE D'ETUDES ARCHITECTURALES G.A.E.

(G. ANDRE, G. BRETON et B. BRZECZKOWSKI)

1980

3 logements

*10, rue Charles Weiss
(15ème)
Métro : Plaisance,
Porte de Vanves
Maître d'ouvrage :
COPROPRIETE DIRECTE*

155

Plutôt que construire un immeuble classique sur le terrain qu'ils avaient acquis ensemble, trois architectes ont préféré « diviser verticalement la construction en trois logements en triplex, pour retrouver l'ambiance de maisons individuelles ».

Leur modèle, « l'atelier d'artiste ». D'où la « grande baie vitrée en forme de brèche qui éclaire les trois niveaux à la fois, au lieu de fenêtres classiques à chaque étage ». Le rez-de-chaussée est occupé par les garages, le premier niveau et sa mezzanine sont consacrés aux pièces communes, le troisième niveau aux chambres. Les « dents de scie » sur la gauche de la baie ne sont pas des « décorations », mais marquent sur la façade l'escalier intérieur d'accès à la mezzanine et son garde-corps.

Pour améliorer l'éclairement de ces « maisons » exposées plein nord, des baies vitrées ont été percées sur la façade arrière et la toiture.

La participation des architectes aux travaux a permis de réaliser l'ensemble de la construction pour un prix record : 3.500 F au m².

Alain SARFATI

1974
Centre d'hémodialyse

5, rue du Bessin (15ème)
Métro : Porte de Vanves
Maître d'ouvrage :
**ASSOCIATION POUR
L'UTILISATION DU REIN
ARTIFICIEL**

Un bâtiment de soins médicaux « tout en courbe et en replis, pour rassurer et envelopper les patients ».
La façade en carrelage blanc – une des premières construites à Paris depuis Sauvage – « crée une coupure dans l'environnement résidentiel de briques et de pierres, signalant ainsi un bâtiment public ».
Les fenêtres sombres « évoquent des trous, ce qui donne de l'épaisseur aux murs. Leur disposition irrégulière rompt la monotonie de la répétition, de même que le dessin du sommet de l'immeuble, qui crée un effet de silhouette se détachant sur le ciel ».

A VOIR AUX ALENTOURS :
– *P. SARDOU / Ecole / 66, rue des Morillons
(1934)*

Alexandre GHIULAMILA et Jean-Michel MILLIEX

1983
Crèche dans un ancien hangar

44, rue des Morillons (15ème)
Métro : Convention
Maître d'ouvrage : VILLE DE PARIS

Pour cette crèche installée dans un ancien hangar à fourrage du marché aux chevaux de Vaugirard, les architectes ont choisi « une architecture d'accompagnement qui, sans aucun pastiche, conserve et met en valeur les structures de l'ancien bâtiment ». Les nouveaux volumes créés ne jouent pas la discrétion. Carrelés de blanc éclatant, ils se détachent au contraire sur la brique et le fer, comme pour souligner sans ambiguïté « la chirurgie brutale pratiquée au rez-de-chaussée ». Il fallait en effet « dégager une vue sur le parc aménagé à l'emplacement des anciens abattoirs, et créer un espace public abrité à l'entrée de la crèche ».
Le fronton triangulaire – rappelant la silhouette des pavillons du marché – est le « souvenir d'un comble qui n'a finalement pas été construit, faute de moyens ».

A VOIR AUX ALENTOURS :
– A. GHIULAMILA et J.M. MILLIEX / Ecole /
   40, rue des Morillons (1983)
– A. et A. BOUCHER / Ateliers d'artistes « La
   Ruche » / 2, passage de Dantzig (1902)

Auguste LABUSSIERE. *1913*
Logements sociaux

5, rue de la Saïda (15ème)
Métro : Porte de Versailles
Maître d'ouvrage : GROUPE DES MAISONS OUVRIERES

Un ensemble construit « pour donner un logement à des familles nombreuses dont le chef ne gagne pas plus de six francs par jour » (= 76 F. 1986), moyennant un loyer de 6 francs par semaine, ainsi que l'explique un bulletin de la Sté. Française d'HLM de 1914 (1).

Dix ans avant Bonnier (cf. p. 258), Labussière apporte ici une réponse plus joyeuse au logement des « classes laborieuses ». Il ne se contente pas de leur fournir des logements salubres, avec W.C. particuliers et douches communes (accessibles de 17h à 19h). Il leur donne également l'air et la lumière. « La multiplication des immeubles a permis d'assurer à chaque logement l'action du soleil sur trois côtés. Un balcon-terrasse donne facilité aux locataires de séjourner au grand air », explique la société d'HLM (1).

Même modernité au niveau de la construction : l'ossature en béton armé ne se cache pas, le toit est plat – 10 ans plus tard, le toit-terrasse sera un des credos du Mouvement moderne – et l'architecture joue allègrement avec les pleins et les vides : volumes orthogonaux des immeubles scandés par les escaliers à l'air libre.

(1) Cité par Jean Taricat et Martine Villars dans « Le logement à bon marché. Paris 1850/1930 ». Ed. Apogée (1982).

A VOIR AUX ALENTOURS :
– *P. DUFAU, B. FULLER et PARJADIS de LA RIVIERE / Palais des Sports / Place de la Porte de Versailles (1960)*
– *P.V. FOURNIER / Parc des expositions / Place de la Porte de Versailles (1956)*
– *L. TISSIER (?) / Ex-ministère de l'Air / 24, bd. Victor (vers 1932)*
– *L. TISSIER / Musée de l'aéronautique / 28, bd. Victor (1932)*

Pierre PATOUT

1934
70 logements de luxe

3, bd. Victor (15ème)
Métro : Balard

159

Dans l'entre-deux-guerres, la machine devient le symbole de la modernité dans la vie culturelle. Alors que Le Corbusier prône la transformation des logements en « machines à habiter », la revue l'*Architecture d'Aujourd'hui* consacre en 1935 un numéro entier aux « moyens de transports ». Parmi ces derniers, le paquebot – machine à la fois luxueuse et parfaitement rationnelle – fascine de nombreux architectes.

C'est Patout, qui avait aménagé plusieurs transatlantiques, qui en fait ici la démonstration la plus claire, en se pliant strictement aux contraintes d'un terrain réputé inconstructible : large de 2,4 à 10 mètres il est coincé entre une voie ferrée et un boulevard à grande circulation.

L'immeuble tout en longueur, sa proue effilée, ses balcons-coursives, les duplex des derniers étages qui dessinent des « cheminées » semblables à celles du *Normandie,* sont la meilleure illustration parisienne de ce « style paquebot ». Quant à Patout, capitaine-architecte, il s'était réservé l'appartement en triplex, poste de commandement à la proue du bâtiment.

A VOIR AUX ALENTOURS :
– *A. PERRET / ministère de la Marine / 8, bd.*
  Victor (1932)

Pierre DUFAU

1976
Siège social de la SNECMA

2, bd. Victor (15ème)
Métro : Balard
Maître d'ouvrage : SNECMA

Métaphore aéronautique pour ce siège social d'un des tous premiers fabricants français d'avions.

Dufau a employé largement « les formes et les matériaux de l'aéronautique : la façade est faite de panneaux d'aluminium, anodisés ou peints à chaud, identiques à ceux qui composent un empennage d'avion ; les pare-soleil sont copiés sur des ailerons, et le couronnement du toit est en forme de fuselage ».

Même souci de technologie industrielle dans la construction. Après l'hôtel Montparnasse Park (cf. p. 138), Dufau a encore perfectionné ici « la fabrication en usine des éléments de façade, entièrement boulonnés et rivetés sur place, comme une carrosserie de voiture sur un châssis ».

« Il y encore beaucoup à faire dans cette voie », disait-il peu avant sa mort et concluait, désabusé : « mais aujourd'hui les recherches sur la technologie n'intéressent plus personne. On n'apprécie plus que l'architecture post-moderne d'opérette ».

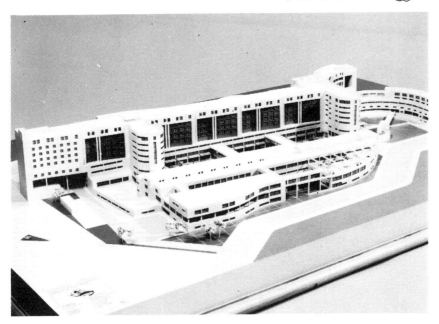

Aymeric ZUBLENA.

Bernard DESMOULIN et Marina MERSON, ass.

Prévu : 1989

Hôpital du 15ème arrondissement

Angle bd. Victor et quai André Citroën (15ème)
Métro : Balard, Javel
Maître d'ouvrage : ASSISTANCE PUBLIQUE

« Un hôpital n'est pas n'importe quel bâtiment public : il doit être particulièrement accueillant et sécurisant pour ses usagers, les malades et leurs familles ».

D'où le choix d'une « monumentalité douce » pour cet établissement, situé en bordure du parc de plusieurs hectares aménagé à l'emplacement des anciennes usines Citroën.

Côté monumentalité, « le rythme vertical de la colonnade de la façade, et les deux grands volumes courbes abritant les services administratifs ».

Côté douceur, « une construction en paliers, tout en courbes qui accueillent et protègent, comme la place d'accueil semi-circulaire ; des matériaux clairs et lumineux, essentiellement du marbre blanc reconstitué ; des patios-jardins aménagés au rez-de-chaussée pour la promenade des malades ».

A VOIR AUX ALENTOURS :
– *ACT-ARCHITECTURE / Logements / 20-24,*
  rue Modigliani (1981)

161

Daniel BADANI et Pierre ROUX-DORLUT.

André METULESCO, ass.

1980

136 logements de standing

200, rue de Lourmel (15ème)
Métro : Balard
Maître d'ouvrage :
GARANTIE MUTUELLE DES FONCTIONNAIRES

Une solution originale pour cet immeuble construit sur un terrain difficile, entièrement entouré des façades aveugles des immeubles mitoyens.

Pour éviter une série de cours intérieures, espaces morts, les architectes ont choisi « d'inverser le problème » : ils ont « placé leurs bâtiments à la périphérie du terrain, appuyés contre les immeubles voisins, ce qui a permis de libérer totalement l'espace central, transformé en grande cour-jardin circulaire, lumineuse et verdoyante, à laquelle on accède par un large porche.

« Sur la rue, la façade galbée signale cette cour, comme des rondeurs féminines sous une robe, et la hauteur du bâtiment s'élève progressivement sur les côtés, pour se raccorder aux immeubles voisins ».

A VOIR AUX ALENTOURS :
- *P. LEBAS / Logements / 329, rue Lecourbe (1984)*
- *C. DUGELAY et A. TIERCHANT / Centre culturel algérien / 169, rue de la Croix-Nivert (1984)*
- *C. et H. DELACROIX / Logements / 73, rue des Cévennes (1935)*
- *R. GROSJEAN / Logements / 53-55, rue Sébastien Mercier (1982)*

**Joseph
BASSOMPIERRE,
Paul de RUTTE et
Paul SIRVIN**

1936
Logements de standing

*7, rond-point du Pont-
Mirabeau (15ème)
Métro : Javel*

163

Construit par une des plus importantes agences parisiennes de l'entre-deux-guerres, cet ensemble d'habitations illustre la modernité classique, telle que la concevait ceux qui refusaient l'architecture en béton du Mouvement moderne.

Les jeux de courbes, en forme de carénage de la façade sur la place, sont dessinés en fonction de critères purement esthétiques et en dehors de toute préoccupation fonctionnelle. Ils sont nettement influencés par les recherches sur l'aérodynamisme, alors très en vogue pour les moyens de transport (automobiles, chemins de fer, etc.). Preuve de ces préoccupations communes, la revue l'*Architecture d'Aujourd'hui* venait de consacrer l'année précédente un numéro spécial aux « moyens de transports ».

Quant aux carrelages dont est revêtue la façade – des carreaux de second choix, cassés et mis au rebut – ils étaient un matériau à la fois résistant et « moderne » pour des architectes qui cherchaient une « troisième voie » entre la traditionnelle pierre de taille et les façades en ciment des « modernistes ».

A VOIR AUX ALENTOURS :
– *N. LE MARESQUIER et P.P. HECKLY /
Bureaux / 39, quai André Citroën (1972)*

**Pierre PARAT et
Michel ANDRAULT**

1978
Tour Totem (207
logements de standing)

*55, quai de Grenelle (15ème)
Métro : Javel, Dupleix*
**Maître d'ouvrage : CAISSE
DES DEPOTS ET
CONSIGNATION**

« Exprimer le squelette, la structure : c'est ça l'architecture. Tout le reste n'est que du décor ».

Andrault et Parat ont poussé ici leur principe « à son extrême logique » en partant d'une contrainte imposée par l'aménageur : édifier une tour à « taille de guêpe » sur les premiers mètres au-dessus de la dalle piétonnière.

Ainsi, « les poteaux de structure en béton ont été laissés entièrement visibles sur toute la hauteur de la tour. Les logements viennent s'y accrocher, groupés par trois dans des sortes de boîtes inclinées à 45 degrés pour avoir un maximum de vue sur la Seine. Ce système réalise de la façon la plus claire la séparation entre les circulations (ascenseurs, escaliers et couloirs logés dans les poteaux) et les logements ».

Conçu comme un immeuble de prestige, la tour Totem est aussi un des endroits les plus protégés de Paris (enregistrement des visiteurs, caméras vidéo dans les couloirs et ascenseurs etc...) : la moitié des occupants sont en effet Iraniens, Libanais, ou citoyens des émirats du Golfe...

A VOIR AUX ALENTOURS :
– *J. PENVEN et J.C. LE BAIL* / Hôtel Nikko / 61, quai de Grenelle (1976)
– *J.C. JALLAT* / Logements / 40, rue Emeriau (1971)
– *P. LECACHEUX* / Ecole / 16, rue Emeriau (1983)
– *P. FRANÇOIS* / Foyer pour handicapés / 2, rue Emeriau (1983)
– *L. BONNIER* / Groupe scolaire / 22, rue Sextius Michel (1912)
– *R. LOPEZ et REBY* / Bureaux / 10, rue Viala (1959)

Harry SEIDLER et Peter HIRST.
Marcel BREUER, Pier-Luigi NERVI et Mario JOSSA, arch. consultants

1978
Ambassade d'Australie et logements de fonction

4, rue Jean Rey et 9, rue de la Fédération (15ème). Métro : Bir-Hakeim
Maître d'ouvrage : ETAT AUSTRALIEN

Massive et minérale, l'ambassade illustre ce que Breuer – co-fondateur du mouvement du Bauhaus dans les années 20 – appelait un immeuble « sun and shadow » : à l'inverse d'un mur-rideau complètement lisse, la façade est «sculptée » d'ouvertures et de fenêtres qui l'animent au gré du mouvement des ombres.

En écho aux courbes du Palais de Chaillot voisin, les deux bâtiments sont construits en arc de cercle « pour offrir à leurs pièces principales – bureaux de l'ambassade et livings des logements – le maximum de la vue splendide sur la Seine et la Tour Eiffel ».

Les énormes piliers de l'entrée, au rez-de-chaussée, ont été dessinés par Pier-Luigi Nervi.

A VOIR AUX ALENTOURS :
- *J.P. BUFFI / Logements / 49, rue de la Fédération / (1984)*
- *X..... / Ecole / 21, rue Dupleix (1920)*
- *J. CHOLLET et J.B. MATHON / Logements / 5, rue Alasseur (vers 1930)*
- *R. FARADECHE / Garage / 6, rue de la Cavalerie / (1929)*
- *P. SONREL et F. DAVIN / Logements / 7, rue de la Cavalerie / (1935)*
- *G. et I. BENOIT et F. MAYER / Logements / 10, rue Frémicourt (1978)*
- *B. ELKOUKEN / Logements / 138, rue du Théâtre (1930)*
- *B. ZEHRFUSS / UNESCO (annexe) / 31, rue François Bonvin (1978)*
- *J. MOINAULT / Centre PTT / 6, rue François Bonvin (1981)*

Valentin FABRE,
Jean PERROTET, AUA,
Christian ENJOLRAS
et Serge LEFRANC, ass.

1977
Agence Spatiale
Européenne

8, rue Mario Nikis (15ème)
Métro : Ségur, Cambronne
Maître d'ouvrage : AGENCE
SPATIALE EUROPEENNE

166

Réhabilitation de trois immeubles anciens, très différents les uns des autres, qu'il n'était pas avantageux de détruire, car la nouvelle règlementation n'aurait pas permis la reconstruction d'une surface de planchers aussi importante.
Pour ce bâtiment à vocation scientifique, il fallait une « architecture simple ». « Les trois immeubles ont été unifiés sous une peau commune en carrelage de grès émaillé blanc. Les volumes extérieurs n'ont pas été modifiés. Ainsi, la grande coursive aux 3ème et 4ème étages existait à l'origine, seul son matériau a changé. Les légers décrochements sur la façade sont l'unique trace de l'ancien fractionnement de l'immeuble ».

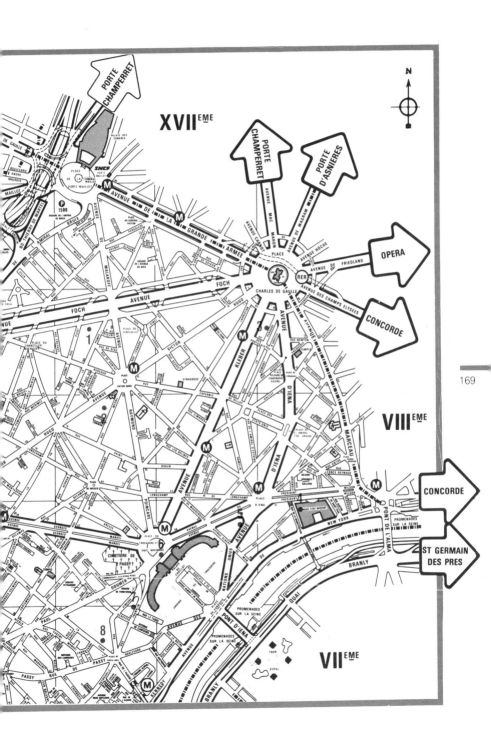

169

170

Charles ABELLA

1939
Logements de standing

53, av. Foch (16ème)
Métro : Victor Hugo
Maître d'ouvrage :
ANDRÉ LAFOND

Abella est un bon exemple de ces architectes de l'entre-deux-guerres, à la recherche d'un compromis entre le modernisme et le néo-clacissisme, que le triomphe des idées du Mouvement moderne a rejeté dans l'oubli.

Pur produit de l'école des Beaux-Arts – il a été Premier Grand Prix de Rome – Abella a surtout construit au Maroc et à Limoges, dont il a été l'urbaniste en chef. A Paris, il n'a réalisé que deux immeubles.

Une dizaine d'années après la construction de la rue Cassini (cf. p. 124), Abella réalise ici un immeuble nettement plus classique, par sa façade en pierre et son monumentalisme. Mais les fenêtres en double-hauteur et les jeux de volumes des derniers étages montrent qu'il n'a pas oublié les leçons de l'architecture moderne, même s'il les applique d'une façon « modérée ».

Ce n'est sans doute pas une coïncidence si le maître d'ouvrage de cet immeuble n'est autre que l'entrepreneur de la rue Mallet-Stevens (cf. p. 190).

A VOIR AUX ALENTOURS :
- H. GUIMARD / Métro Porte Dauphine / face au 90, av. Foch (vers 1905)
- J. RICHARD et G. ROENRICH / Hôtel particulier / 3, villa Saïd (1932)
- A. PERRET / Hôtel Bresy / 27, villa Saïd (1928)
- X... / Bureaux / 7, place du Chancelier Adenauer (1957)

- J. CHARAVEL et M. MELENDES / Cinéma / 65, rue Saint-Didier (1930)
- H. SAUVAGE / Cité d'Argentine / 111, av. Victor Hugo (1903)

**Robert
MALLET-STEVENS**

1936
Caserne de pompiers

*8, rue Mesnil (16ème)
Métro : Victor Hugo
Maître d'ouvrage :*
MINISTERE DE L'INTERIEUR

Pour ce bâtiment public – un des rares qu'il ait construit – Mallet-Stevens abandonne les formes sereines, les enduits lumineux et la finition luxueuse qu'il affectionne dans sa production habituelle : hôtels particuliers et riches villas.

L'architecture – « éminemment orthogonale », comme la qualifiait Le Corbusier – adopte une double échelle. Horizontale en bas, elle respecte parfaitement la continuité de la rue, s'alignant en hauteur sur l'immeuble voisin. Mais, comme pour rappeler qu'il s'agit ici d'un immeuble-signal de la puissance publique, la façade fait brusquement un quart de tour, et ses derniers étages échappent à l'échelle étroite de la rue pour embrasser la ville dans son ensemble.

De la rue il en résulte un jeu d'horizontales et de verticales, organisées autour d'une tour aux balcons très découpés. Car, pour Mallet-Stevens, « ce ne sont pas quelques moulures gravées dans une façade qui accrochent la lumière, c'est la façade entière. L'architecte sculpte un bloc énorme : la maison » (1).

(1) « Rob Mallet-Stevens, architecte » Ed. Archives d'Architecture Moderne, Bruxelles (1980).

A VOIR AUX ALENTOURS :
– *M. BONNEMAISON / Logements / 107, rue
  Lauriston (1930)*
– *R. SAUBOT et F. JULIEN / Fédération natio-
  nale du bâtiment / 6, rue La Pérouse / (1972)*

Michel HERBERT

1978
Siège de la Compagnie Bancaire

29, rue La Pérouse (16ème)
Métro : Etoile, Kléber
Maître d'ouvrage : COMPAGNIE BANCAIRE

Un problème devenu classique dans le paysage urbain parisien : comment implanter un grand ensemble – bureaux ou logements – sans « écraser » le quartier où il est construit ? La réponse tient ici aux volumes et aux matériaux.

Edifié à la place du bunker de la Gestapo, dont la démolition à coups d'explosif a ébranlé le quartier pendant plusieurs années, le siège de la Compagnie Bancaire, tout en longueur sur une rue étroite, est « coupé d'avancées de verre et de pierre. Il retrouve ainsi l'échelle plus étroite des immeubles et hôtels particuliers voisins ».

La pierre de taille a été largement employée, par « courtoisie à l'égard d'un environnement où elle domine », mais aussi pour donner la « monumentalité indispensable au siège d'un des plus importants établissements financiers français ».

A VOIR AUX ALENTOURS :
– *P. FIGAROL / Bureaux / 6, rue Jean Giraudoux /*
  (1929)
– *A. BIRO et J.J. FERNIER / Logements / 19, rue*
  de Chaillot / (1981)

A. AUBERT, D. DASTUGUE, J.C. DONDEL et P. VIARD

173

1937
Musée d'Art Moderne

13, av. du Président Wilson (16ème)
Métro : Alma-Marceau

Palais de Chaillot et Conseil économique et social (cf. pages suivantes) : à l'occasion de l'exposition de 1937, la colline de Chaillot, entièrement réaménagée, devient un catalogue grandeur nature de l'architecture néo-classique.

Choisi par concours parmi 120 autres projets, le nouveau musée a été étudié et réalisé en moins de deux ans.

Comme au Palais de Chaillot, les architectes ont construit leur bâtiment en articulant ses deux ailes – qui utilisent la déclivité du terrain – autour d'une percée, vaste terrasse ouverte sur la Seine.

La colonnade, tout comme le revêtement en pierre, essaie de réinterpréter dans un esprit moderne les éléments de l'architecture classique.

Auguste PERRET

1937

Conseil Economique et Social
(ex-Musée des Travaux Publics)

1, av. d'Iéna (16ème)
Métro : Iéna

Perret invente ici un nouvel ordre de colonne, qui va en s'évasant de la base au sommet. Il en avait eu l'idée, paraît-il, en voyant des palmiers en Egypte. Mais connaissant son peu de goût pour les formes gratuites et son exigence de « vérité des structures », on peut remarquer que cette forme évasée vers le haut est tout à fait cohérente avec la technique d'ancrage de la colonne dans une structure en béton. Perret ne pastiche pas les Anciens, il « fait ce qu'aurait fait nos ancêtres à notre place avec les moyens dont nous disposons » (1)

De même pour le béton qu'il emploie ici sans camouflage, comme dans la plupart de ses constructions. « Les Romains ont introduit la médiocre pratique du placage. Le béton se suffit à lui-même », affirmait-il. La plupart des architectes dans la lignée de Le Corbusier ont employé un béton grisâtre, brut de décoffrage. Perret – maçon amoureux du matériau, autant qu'architecte – est sans doute le seul à avoir réussi à donner une véritable noblesse au béton : la capacité à bien vieillir. Témoins, sur les deux ailes du bâtiment, les dalles et éléments de béton coloré, sablé ou bouchardé, qui supportent remarquablement la pollution.

(1) Cité par Marcel Zahar dans « D'une doctrine d'architecture », éd. Vincent Fréal (1959)

A VOIR AUX ALENTOURS :
– C. de CHESSIN / Garage / 3, rue de Magdebourg
    (1930)

Léon AZEMA, Louis BOILEAU et Jacques CARLU

1937
Palais de Chaillot

Place du Trocadéro (16ème). Métro : Trocadéro

La grande idée de Carlu : couronner la colline de Chaillot par un vide central et non par un quelconque monument – comme le proposait notamment Perret – qui aurait eu du mal à exister face à l'omniprésente Tour Eiffel.

Le projet de remplacer l'ancien Trocadéro – pâtisserie néo-byzantine de Davioud et Bourdois datant de 1878 et qui prenait l'eau de toutes parts – apparaît avec le choix du site de l'exposition de 1937, dans l'axe Trocadéro-Montparnasse. Le nouveau palais devait être l'entrée monumentale de l'exposition.

Dans un premier temps, on pense simplement « camoufler » sous des structures légères l'ancien palais, pour la défense duquel la revue l'*Architecture d'Aujourd'hui* lance une virulente pétition. Chargé de la « modification », Carlu la transforme insensiblement en « reconstruction » quasi-complète, au milieu des polémiques dénonçant sa démarche « clandestine », des scandales sur la passation de certains marchés et des grèves de chantier du Front Populaire.

S'adaptant au modelé de la colline – qu'il accentue encore par des apports de terre – Carlu a voulu « des lignes dans la tradition monumentale française et dans l'harmonie parisienne », et a recherché « l'horizontalité qui fait la gloire de la place de la Concorde » (1). Ce monumentalisme néo-classique reçoit un hommage inattendu d'Amédée Ozenfant, un proche de Le Corbusier, qui estime que « l'ensemble est d'une dignité que la 3ème République n'avait jamais obtenu dans aucun palais officiel ».

(1) Citations extraites de « Le nouveau Trocadéro ». d'Isabelle Gournay (Mardaga, 1985).

1904
Logements

25 bis, rue Franklin (16ème)
Métro : Trocadéro, Passy
Maître d'ouvrage : PERRET FRERES

Véritablement révolutionnaire et objet, à l'époque de sa construction, de multiples polémiques, ce bâtiment en béton est un de ceux qui marquent le début de l'architecture moderne. Hennebique – parmi d'autres – avait déjà employé le béton en 1899 pour un immeuble d'habitation (1, rue Danton), mais en « singeant » les formes et la structure d'un traditionnel immeuble en pierre de taille, sans exploiter les possibilités du nouveau matériau.

Fils d'un entrepreneur du bâtiment, ayant lui-même repris avec ses deux frères l'entreprise familiale où il développe l'emploi du béton, Auguste Perret est d'abord un homme de chantier : il n'a même pas terminé les Beaux-Arts. Il est le contraire d'un « artiste » peu soucieux des réalités concrètes de réalisation de son œuvre. Amoureux de la « belle ouvrage », connaissant sur le bout des doigts les procédés de construction, il estime que la technique ne doit pas être dissimulée, car seule « la vérité conduit à la beauté ».

Ici, pour la première fois dans un immeuble urbain, Perret construit un bâtiment qui repose sur quelques poteaux en béton. Et il ose laisser ce « squelette » clairement apparent, simplement revêtu d'un carrelage lisse. Perret se souvient ici des constructions gothiques — un sommet de l'architecture, selon lui — dans lesquelles « la structure commande l'aspect » du bâtiment. « Celui qui dissimule une partie quelconque de la charpente, se prive du seul légitime et plus bel ornement de l'architecture » (1), affirme-t-il.

L'immeuble reposant totalement sur des poteaux, les murs ne sont plus « porteurs », comme dans les constructions traditionnelles (et dans celle d'Hennebique, rue Danton). Perret en tire une conclusion qui annonce l'architecture moderne : chaque étage est un « plan libre » qui permet de disposer les cloisons des pièces selon les désirs des habitants.

Pour les cloisons entre les poteaux, le béton apparent est recouvert d'une sorte de peau protectrice et étanche en carreaux de grès flammé d'Alexandre Bigot, aux dessins floraux inspirés de l'Art Nouveau.

Autre révolution : pour répondre aux contraintes d'un terrain très peu profond, il place en avant de l'immeuble la traditionnelle cour intérieure, ce qui permet d'augmenter notablement l'éclairage des cinq pièces d'habitation de chaque appartement, ouvrant largement plein sud, sur la Seine.

Les voisins ayant refusé l'ouverture de fenêtres sur la façade arrière, la cage d'escalier est éclairée par un mur-fenêtre de pavés de verre, sans doute un des premiers emplois de ce matériau qui deviendra un des fétiches de l'architecture moderne.

(1) A. Perret, « Contribution à une théorie de l'architecture » (1952).

A VOIR AUX ALENTOURS :
– *M. HENNEQUET / Logements / 17, rue Franklin (1928)*
– *R. ANGER, M. HEYMANN, P. PUCCINELLI et L. VEDER / Logements / 25, av. Paul Doumer (1965)*

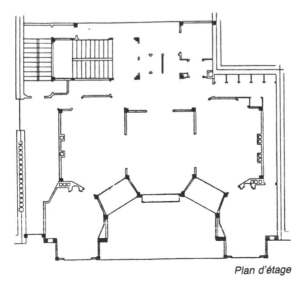

Plan d'étage

Gabriel BRUN

1930
Hôtel

6, rue de la Tour (16ème)
Métro : Passy
Maître d'ouvrage : H. de
LABOURDONNAYE-BLOSSAC

Un hôtel construit par une famille d'aristocrates – de préférence à un immeuble de rapport – parce qu'« il n'existait aucun hôtel convenable à Passy », alors en plein boom immobilier.

La façade, qui a obtenu le premier prix de la Ville de Paris au début des années 30, reprend les éléments en vogue à l'époque : décrochés de volumes, carrelage, bow-windows et auvents sur les petits balcons du dernier étage.

Les balcons obliques qui assurent la liaison avec l'immeuble voisin en avancée – comme des loges de théâtre – sont une solution délicate (et peu employée) pour compenser les différences d'alignement existant dans de nombreuses « dents creuses » parisiennes.

L'hôtel, construit par l'entreprise de Hennebique, le pionnier du béton armé, a été récemment rénovée par ses actuels propriétaires, qui ont scrupuleusement conservé son aspect extérieur d'origine.

A VOIR AUX ALENTOURS :
- *C. THOMAS / Ensemble de logements / av. Rodin (1930)*
- *A. CAZES et A. EINSCHENK / Crèche + école / 130, rue de Longchamp (1980)*
- *P. CHARREAU / Logements / 89, rue de la Faisanderie (1932)*
- *M. ROUX-SPITZ / Logements / 29 bis, rue de Montevideo (1928)*
- *POKROWSKI / Ambassade d'URSS / 40, bd. Lannes (1977)*

Jean WALTER

1931
Ensemble de logements
de standing

2-10, bd. Suchet (16ème)
Métro : rue de la Pompe

179

L'architecture a aussi ses personnages de roman, tels Jean Walter, architecte, industriel opiniâtre, collectionneur milliardaire et mécène, mort écrasé par une voiture en 1957.

Pionnier des cités-jardins au début du siècle (1), Jean Walter construit beaucoup dans l'entre-deux-guerres. En 1925, il obtient un permis d'exploitation des mines Zellidja, au Maroc, considérées comme improductives. En quelques années, il en fait une des plus grandes mines de plomb et de zinc du monde. Et il devient milliardaire.

Il ne s'arrête pas pour autant de construire. En 1931, il réalise le très luxueux ensemble du boulevard Suchet. A l'écart des polémiques architecturales, il bâtit dans le massif, citadelle riche et austère. Ce qu'il aime surtout : la pierre. A l'intérieur des appartements, « les murs de ses salons sont en pierre apparente, et le sol est revêtu de dalles de travertin » (1).

Il construira également l'hôpital Beaujon à Clichy (1938) et la catastrophique faculté de Médecine de la rue des Saints-Pères (1939-1950).

Mécène, il a créé les célèbres « Bourses Zellidja », qui ont aidé des générations d'adolescents à réaliser leur vocation. Il était aussi à la tête d'une magnifique collection de tableaux modernes, quasiment donnée à l'Etat par sa veuve au début des années 60, et exposée depuis 1974 à l'Orangerie.

(1) Cf. « La donation de l'Orangerie » de J.L. Gaillemin et G. Ragot dans « Beaux-Arts » n° 16 (sept. 1984).

Michel ROUX-SPITZ

1931
Ensemble de logements

115, av. Henri Martin
(16ème)
Métro : Rue de la Pompe

Le plus grand ensemble d'habitation construit à Paris par Roux-Spitz, ardent défenseur d'un style néo-classique inspiré par « l'équilibre à la française » (cf. p. 56).

Un changement d'échelle qui marque un tournant architectural. L'immeuble, qui occupe un îlot entier, n'a plus le caractère intime des précédentes réalisations de Roux-Spitz, petits immeubles coincés entre deux mitoyens.

La façade principale – aux volumes discrètement mouvants, mais d'où ont disparu les bow-windows qu'il affectionnait – conserve le souci de luxe dépouillé et la parfaite finition caractéristiques de son architecture, avec un placage de pierre blanche et des fers forgés.

Mais les façades latérales, plates et répétitives, marquent sa difficulté à inventer des volumes sur une échelle plus vaste. Elles annoncent ses grands ensembles de l'après-guerre, dans lesquels subsiste peu de choses du « style Roux-Spitz ».

José IMBERT

1976
Légation militaire
d'Arabie Saoudite

4 bis, rue Franqueville
(16ème)
Métro : La Muette
Maître d'ouvrage :
AMBASSADE D'ARABIE
SAOUDITE

Un immeuble « kitsch », fantasme de temple grec construit par un architecte plus qu'octogénaire, collaborateur pendant 40 ans des frères Perret.
« Quand la technique progresse, l'art régresse ». Pour éviter les « horribles balcons en porte-à-faux que permet le béton armé, les loggias sont soutenues par de vraies colonnes. Car seules les colonnes chantent ». Elles sont cannelées pour avoir « l'air antique ». Toujours « par goût de l'Antiquité », elles sont en « béton de pierre – mélange de ciment blanc et de poussière de marbre – non retouchées au décoffrage, pour garder l'aspect de la pierre taillée ».

A VOIR AUX ALENTOURS :
– *C.H. BLANCHE / Logements / 15, rue du Conseiller Colignon (1939-1948)*
– *J. IMBERT / Logements / 3, rue François Ponsard (vers 1975)*

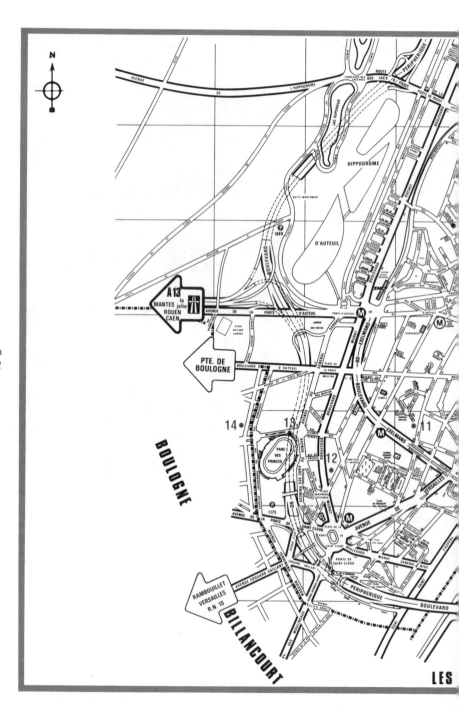

VIIEME

XVEME

XVI⁻
ARRONDISSEMENT
SUD

183

Auguste PERRET

1932
Logements de standing
et agence d'architecture

*51-55, rue Raynouard
(16ème)
Métro : Passy, Ranelagh*
Maître d'ouvrage :
PERRET FRERES

Dans cet immeuble qui abritait l'agence de Perret et son appartement (au dernier étage), on est loin des audaces de la rue Franklin (cf. p. 176), construit près de 30 ans auparavant.

Les formes restent on ne peut plus classiques. A la fenêtre horizontale – un des « must » des architectes modernistes – Perret préfère la traditionnelle fenêtre verticale « à la française » qui est « en accord avec la silhouette verticale de l'homme » (1).

De même, le béton de la façade est employé en dalles, réactualisation avec des moyens modernes d'un matériau éternel : la pierre. « Le béton, c'est la pierre que nous fabriquons (..). C'est un matériau révolutionnaire qui nous a aidé à remonter aux sources de la plus authentique tradition » (1).

« Perret n'est pas un révolutionnaire, mais un continuateur des grandes, nobles et élégantes vérités de l'architecture française », diagnostiquait Le Corbusier (2).

Seuls éléments de modernisme : le magnifique escalier tournant en béton conduisant à l'agence, éclairée sur la rue Berton par la seule façade-rideau en verre sans doute jamais réalisée par Perret.

(1) A. Perret « Contribution à une théorie de l'architecture » (1952).
(2) Cité par Peter Collins dans « Concrete, the vision of a new architecture ». Ed. Faber and Faber, Londres (1959).

A VOIR AUX ALENTOURS :
– *X... / Logements / 26, rue Bois le Vent (vers 1925)*

Henri BEAUCLAIR.
GREGORY et
SPILLMANN, ing.
structures

1976
Chancellerie de
l'ambassade de Turquie

16, av. de Lamballe (16ème)
Métro : Passy, Ranelagh
Maître d'ouvrage :
AMBASSADE DE TURQUIE

185

« Construction-manifeste » d'un architecte résolument moderne : « prouver qu'il est possible d'intégrer un bâtiment totalement contemporain, sans le moindre pastiche, dans un site classé, entre la maison de Balzac et un hôtel particulier du 18ᵉ siècle ».

« Le terrain triangulaire, l'obligation de laisser la vue libre depuis le jardin de l'ambassade situé à l'arrière, et l'interdiction d'abattre un seul arbre, rendaient impossible une construction en parallélépipède ». D'où le choix d'une « forme en courbe trilobée, fuyante et donc discrète ».

Les matériaux – béton blanc brut et glace légèrement teintée sans menuiserie métallique – « affirment leur vérité sans concession mais avec discrétion », pour s'intégrer dans un environnement essentiellement bourgeois.

Tirant parti de la nécessité de faire déboucher le garage sous l'immeuble, Beauclair a construit celui-ci sur deux poteaux centraux en béton, qui supportent les planchers en porte-à-faux et dégagent le sol.

A VOIR AUX ALENTOURS :
– L. NAFILYAN / Logements / 25, rue Raynouard
  (1933)
– A. REMONDET / Logements / 100, av. du
  Président Kennedy (1982)

Henry BERNARD,
arch. en chef
LHUILLER,
les frères
NIERMANS
et **SIBELLE,** arch.
1963
Maison de la Radio

116, av. du Président
Kennedy (16ème)
Métro : Ranelagh, Passy,
Mirabeau
Maître d'ouvrage : OFFICE
DE LA RADIO-TELEVISION
FRANCAISE

Une dizaine d'années après l'instauration du monopole de la radiodiffusion en France, commence la construction de cette Maison de la Radio conçue par le général De Gaulle comme « le signe de l'organisation, de la concentration et de la cohésion » de la radio et de la télévision.

Sa forme circulaire, purement fonctionnelle, répond à une triple exigence : produire les programmes, les « enchaîner » les uns aux autres, les diffuser. Ainsi la « couronne » extérieure de 175 m. de diamètre abrite salles de concert et studios, rayonnants autour d'une « petite couronne » intérieure contenant les régies et le centre de diffusion, et dominés par la tour des archives, haute de 70 m.

La façade est recouverte de panneaux d'aluminium emboutis résistant très bien au vieillissement. La climatisation de l'ensemble – ou travaillent quelque 2.500 personnes – est assurée par une source d'eau à 27 degrés puisée à 550 m. de profondeur.

Symbole du dynamisme national – au même titre que la Caravelle, le France ou l'aéroport d'Orly – la Maison de la Radio a coûté 10,3 milliards de F. (= 772 millions de F. 1986). Cas rarissime dans l'architecture contemporaine parisienne, elle a d'emblée été adoptée par le public : selon un sondage IFOP réalisé en 1965, ils étaient 57 % (contre seulement 6 %) à estimer qu'il s'agissait d'un « beau monument ».

A VOIR AUX ALENTOURS :
– *P. BRANCHE / Logements / 16, av. de Versailles (1954)*
– *J. GINSBERG et B. LUBETKIN / Logements / 25, av. de Versailles (1931)*
– *BOESSE / Ateliers d'artistes / 29, av. de Versailles (1929)*

Jean GINSBERG, François HEEP et Maurice BRETON

1934
Logements de standing

42, av. de Versailles
(16ème)
Métro : Mirabeau

Peut-être un des plus beaux immeubles d'angle de Paris.

Elève de Mallet-Stevens à l'Ecole Spéciale d'Architecture avant d'être employé à l'agence de Le Corbusier, Ginsberg fait partie de la première génération d'architectes formé par les maîtres de l'architecture moderne (1).

Pour sa deuxième construction parisienne (après le 25, av. de Versailles, cf. page ci-contre), il n'a pas oublié la leçon de ses maîtres. La rotonde n'est pas une simple facilité pour « tourner » l'angle d'une rue. Elle est le moyen d'une véritable articulation des volumes : à la façade massive et pleine de la rue des Pâtures, s'oppose, comme un négatif à une photo positive, la façade aérienne sur l'avenue de Versailles dont les balcons délimitent des « vides ».

De l'enseignement de Mallet-Stevens, il a gardé le goût de la finition méticuleuse. Le placage en pierre de la façade est soigneusement dessiné, la courbure des vitres de la rotonde est quasi-parfaite, et Ginsberg a tout dessiné lui-même dans son immeuble, jusqu'aux luminaires.

(1) cf. « L'école de Paris » de Jean-Claude Delorme et Philippe Chair (Ed. du Moniteur, 1981).

A VOIR AUX ALENTOURS :
- *GILBERT / Logements / 3, rue Degas (1935)*
- *MARTEROY et BONNEL / Logements / 40, quai Louis Blériot (1932)*
- *G. LESOU / Logements / 32, quai Louis Blériot (1932)*
- *R. TAILLIBERT / Ecole / 16, rue Gros (1985)*
- *H. GUIMARD / Logements / 8-10, rue Agar (1911)*
- *P. PATOUT et C. DAMAN / Ensemble de logements / square Henry Patè (1930)*

Hector GUIMARD

1898
Logements de standing
(« Castel Béranger »)

14, rue La Fontaine (16ème)
Métro : Ranelagh, Passy,
Mirabeau
Maître d'ouvrage :
Mme FOURNIER

Dans les dernières années du 19ᵉ siècle, l'Art Nouveau lance contre l'académisme un assaut qui dépasse la simple querelle décorative : sous la floraison d'une ornementation exubérante, ce sont en fait les volumes qui prennent leur autonomie, annonçant les préoccupations de l'architecture moderne.

Cette tendance est clairement visible ici, Guimard soulignant les jeux de volumes par la variété des matériaux (brique, fonte, pierre de taille ou meulière, céramique). Ainsi, les bow-windows : par leurs tailles et leurs dispositions variées, ils ne sont plus de simples excroissances de la façade, mais deviennent de véritables volumes autonomes. Tout comme la souche de cheminée, grand signal urbain vertical qui répond au petit auvent domestique horizontal du rez-de-chaussée.

De même, les motifs décoratifs abandonnent la figuration pour devenir de plus en plus abstraits (cf. notamment les grilles de portes, fenêtres et soupiraux).

Une évolution également sensible dans les entrées de métro édifiées par Guimard de 1899 à 1903 : le décor « nouille » n'y est peut-être que le prétexte à l'explosion des volumes (cf. notamment Porte Dauphine et les stations suivantes de la ligne).

A VOIR AUX ALENTOURS :
- *A. BAZIN / Bureaux / 4, rue du recteur Poincarré (1948)*
- *N. LE MARESQUIER / Chapelle / 17, rue de l'Assomption (1961)*
- *B. HAMBURGER et O. PERREAU / Logements / 30, rue de Boulainvilliers (1971)*

Jean GINSBERG et
François HEEP

1936
Logements de standing

5, av. Vion-Whitcomb
(16ème)
Métro : Ranelagh

189

Impossible de ne pas voir la parenté entre cet immeuble de Ginsberg et celui que Le Corbusier avait construit quelques années plus tôt rue Nungesser et Coli (cf. p. 199).

Mais là où Le Corbusier avait utilisé du verre et du métal, Ginsberg s'en tient à une façade au classique placage en pierre, soigneusement exécuté.

Ginsberg arrête ensuite de construire pendant une dizaine d'années. Après la guerre, ses résidences de banlieue pour cadres supérieurs, ses immeubles bourgeois du 16ème arrondissement et ses luxueuses réalisations sur la Côte d'Azur confirment ce virage vers le classicisme, et semblent bien éloignés du Mouvement moderne dont il avait été un des plus brillants espoirs dans les années 30.

A VOIR AUX ALENTOURS :
– *R. et H. BODECHER / Logements / 1, rue Vion-Whitcomb (1934)*
– *C. et H. de GALEA / Logements / 11, rue Vion-Whitcomb (1985)*
– *P. PATOUT / Logements / 5, rue du Docteur Blanche (1928)*

Robert MALLET-STEVENS

1927
Six hôtels particuliers

Rue Mallet-Stevens (16ème)
Métro : Jasmin
Maître d'ouvrage : PROPRIETAIRES PARTICULIERS

Le chef-d'œuvre de Mallet-Stevens : une rue – qui porta son nom de son vivant – construite pour lui-même et quelques amis. Dépassant la réalisation de bâtiments isolés, il bâtit ici un morceau de ville très homogène, espace urbain d'une qualité sans doute unique dans l'entre-deux-guerres à Paris.

Le Corbusier prétendait définir les théories universellement valables de la vie urbaine au 20ᵉ siècle. Etranger à ce projet social démiurgique, Mallet-Stevens avait des préoccupations uniquement architecturales et plastiques. Largement indifférent à la grande question du siècle — le logement de masse — il ne construit pratiquement que des hôtels particuliers ou villas pour de riches bourgeois « modernes ».

C'est sans doute cette absence de discours social qui a valu à Mallet-Stevens – aussi célèbre et controversé à son époque que Le Corbusier – l'oubli dans lequel il a ensuite sombré. Une autre raison est la brièveté de sa carrière : il s'écoule moins de 16 ans entre la construction effective de sa première maison (il a alors 37 ans) et sa dernière, en 1939. Enfin, son œuvre semble marquée du sceau de l'éphémère : décors (notamment pour le film « L'inhumaine » de Marcel Lherbier), pavillons d'expositions, aménagement d'appartements ou de magasins.

La rue Mallet-Stevens est d'abord la manifestation architecturale de l'extraordinaire catalogue d'objets qu'il avait en tête (cf. ses dessins publiés en 1932 dans *Une cité moderne*). Ses principes sont simples : des jeux de cubes parfaitement blancs et lisses, pour « unifier l'aspect de la façade, car les volumes comptent plus que les détails constructifs ». Des décrochés, gradins, tours, jeux d'ouvertures, auvents, etc. comme une grosse sculpture, car « l'architecte sculpte un énorme bloc, la maison » (1).

La finition est particulièrement raffinée et étudiée dans le moindre détail (vitraux de Barillet, grilles et portes de Prouvé). Les intérieurs ont été notamment composés par Charreau, Guevrekian, Mallet-Stevens lui-même. Plusieurs villas ont malheureusement été modifiées ou surélevées (notamment le nᵒ 12 où se trouvait son agence).

Mallet-Stevens atteint ici une dimension supérieure à la simple juxtaposition de bâtiments. Sa rue détermine un véritable « espace en creux » sculpté par un grand plasticien. Une réalisation qui préfigure les préoccupations de l'architecture actuelle la plus créative. Si le Corbusier avait pu, comme il en avait le projet, construire la totalité du square du Docteur Blanche (voir pages suivantes), la comparaison aurait été passionnante...

(1) « Rob Mallet-Stevens, architecte », Ed. Archives d'Architecture Moderne, Bruxelles (1980)

A VOIR AUX ALENTOURS :
– *U. CASSAN / Foyer d'étudiantes / 10, rue du Docteur Blanche (1954)*
– *J. GINSBERG, G. MASSE et A. ILINSKY / Logements / 19, rue du Docteur Blanche (1953)*

(état originel)

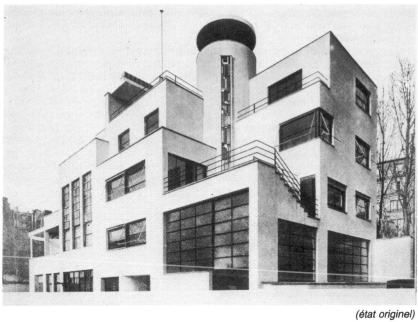

(état originel)

LE CORBUSIER

1924
Villas La Roche et Jeanneret

8-10, square du Docteur Blanche (16ème)
Métro : Jasmin, Ranelagh
Maître d'ouvrage : ALBERT JEANNERET et RAOUL LA ROCHE

Tout comme Mallet-Stevens (cf. page précédente), Le Corbusier a bien failli avoir une rue entière construite par lui. La voie a en effet été entièrement lotie par la Banque Immobilière de Paris en 1923, et Le Corbusier avait proposé un plan d'ensemble (1) qui aurait été l'unique exemple parisien d'un espace urbain conçu par l'architecte. Finalement, l'affaire capote et Le Corbusier ne réalise que deux maisons, une pour son frère et l'autre pour son ami, le banquier La Roche.

Pour la première fois, il applique ici les principes du toit-terrasse et de la fenêtre en longueur, deux des cinq postulats fondamentaux de son architecture (avec le piloti qui libère le sol, le plancher libre de tout pilier ou cloison intérieure, et la façade libre de toute structure, poutre ou pilier), qu'il énoncera quelques années plus tard. Sur un terrain difficilement constructible, il oppose très subtilement la façade courbe de la villa La Roche à la sévère orthogonalité de la villa Jeanneret.

La villa La Roche – construite pour environ 300.000 F. (= 1 million de F. 1986) – a été conçue comme la « maison d'un collectionneur ». La Roche avait en effet une magnifique collection de tableaux modernes, dont plusieurs de Le Corbusier lui-même, autour de laquelle il voulait organiser sa maison. Celle-ci est articulée autour d'un grand hall en triple hauteur avec, à gauche le salon-galerie et, à droite, les pièces d'habitation.

Pensée en fonction du cheminement d'un visiteur devant les tableaux, l'intérieur forme une extraordinaire « promenade d'architecture » où se mêlent jeux de volumes et de cloisons, plate-forme, passerelle et plan incliné. Tout avait été minutieusement calculé par Le Corbusier, qui avait même eu des mots avec La Roche, ce dernier se refusant à suivre le strict plan d'accrochage de ses tableaux décidé par l'architecte pour sauvegarder certains « effets d'architecture pure ».

Malgré ses nombreuses malfaçons – Le Corbusier ne s'intéressait pas beaucoup à l'intendance : il en coûtera plus de 100.000 F. (plus de 300.000 F. 1986) de réparations diverses à La Roche (1) – la maison, ainsi que sa voisine, est aujourd'hui parfaitement entretenue par la Fondation Le Corbusier qui l'occupe. (Pour visiter : Fondation Le Corbusier, tel. 42.88.41.53 et 45.27.50.65).

(1) Cf. « Villas de Le Corbusier » de Tim Benton, Ed. Philipper Sers (1984)

A VOIR AUX ALENTOURS :
- *P. ABRAHAM / Ecole / 15, rue Henri Heine (1930)*
- *A. MOROSOLI / Logements / 40, rue Jasmin (1929)*
- *P. ABRAHAM et SINOIR / Maison / 24, rue Jasmin (1925)*
- *X... / Garage / 13, rue de la Source (vers 1930)*
- *J. IMBERT / Logements / 37, rue Ribera (vers 1975)*

Photo ci-contre :
au premier plan,
la villa Jeanneret.
Au fond, la villa La Roche.
Photos du bas :
intérieur de
la villa La Roche.

193

Henri SAUVAGE

1926
Ateliers d'artistes (« studio building »)

65, rue La Fontaine (16ème)
Métro : Michel Ange-Auteuil

Une des dernières réalisations de Sauvage, architecte irréductible à une école ou à un « style » (cf. ses autres constructions citées dans cet ouvrage, voir index).

Il abandonne ici ses recherches sur les immeubles blancs à gradins (cf. p. 44 et 220) au profit d'une architecture massive, jouant sur les couleurs. Cet ensemble d'ateliers d'artistes en duplex est prétexte à une série de variations sur l'opposition du monumental et de l'intime. Si les grandes baies des ateliers donnent une échelle monumentale à l'immeuble, les petites fenêtres carrées révèlent sa « vérité » intime d'immeuble d'appartements.

Le revêtement en carrelage, très influencé par le cubisme, appuie le jeu des volumes : gris sur les surfaces planes, marron dans le retrait des balcons, et multicolore sur les parties saillantes.

Remarquer l'exceptionnel état de conservation de cette façade, plus de 60 ans après sa construction.

A VOIR AUX ALENTOURS :
– *H. GUIMARD / Hôtel Guimard / 122, av. Mozart (1912)*

Bernard REICHEN et Philippe ROBERT

1981
52 logements de standing

*3, av. Boudon (16ème)
Métro : Église d'Auteuil,
Jasmin*
Maître d'ouvrage : COGEDIM

Un immeuble contemporain qui entend « renouer avec l'esprit haussmannien », par sa façade en pierre, sa rotonde et ses bow-windows métalliques directement inspirés de l'immeuble Guerlain sur les Champs-Elysées.

Mais, « si les matériaux sont traditionnels, ils ne visent pas au pastiche gratuit. Ainsi la pierre, employée en placage, ne cherche pas à donner l'impression que le bâtiment est en pierre de taille. De même la rotonde est une astuce permettant la transition en douceur avec l'immeuble voisin, en avancée par rapport à l'alignement de la rue ».

Le caractère résidentiel de la construction est « affirmé par la façade végétale avec balcons et terrasses : une façade pour voir et être vu qui, comme le porche et la fontaine du rez-de-chaussée, sert de transition entre la rue et l'espace privé des appartements ».

A VOIR AUX ALENTOURS :
- *HULOT et BUSSE / Chapelle Sainte Bernadette / 4, rue d'Auteuil (1936-1953)*
- *J. BASSOMPIERRE, P. de RUTTE et P. SIRVIN / Logements / 2, rue Verderet (1936)*
- *B. BOURGADE et M. LONDINSKY / Ambassade du Cameroun / 73, rue d'Auteuil (1984)*
- *B. OGE et J.J. FAYSSE / Logements / 22, rue Erlanger (1976)*
- *X... / Logements / 34, rue Michel-Ange (1979)*
- *M. QUENT / Logements / 4, square Jouvenet (vers 1930)*
- *H. GUIMARD / Logements / 142, av. de Versailles (1905)*

VO THANH NGHIA

1977
Ambassade du Vietnam

62, rue Boileau (16ème)
Métro : Exelmans
Maître d'ouvrage : AMBASSADE DU VIETNAM

Essai de « marier l'architecture traditionnelle vietnamienne et l'architecture contemporaine, pour une ambassade où les Vietnamiens se sentent chez eux ».

Symbole de cette synthèse – à l'image de Vo Thanh Nghia qui pratique à la fois en France et au Vietnam – le traditionnel toit de pagode, réinterprété et revêtu de grès blanc, un des matériaux fétiches de l'architecture moderne.

Autres réminiscences de l'architecture vietnamienne : les carreaux de terre cuite inspirés de ceux qui ornent les temples, et la végétation qui pénètre largement à l'intérieur du bâtiment.

Paul GUADET

1912
Hôtel particulier

95, bd. Murat (16ème)
Métro : Porte de Saint-Cloud
Maître d'ouvrage :
PAUL GUADET

197

Une maison tout en béton – jusqu'au lit du maître des lieux – construite pour son usage personnel par un architecte passionné par ce nouveau matériau.

Guadet, en précurseur de l'architecture moderne, invente une esthétique à partir des possibilités techniques nouvelles offertes par le béton : la maison est uniquement portée par des poteaux, et les vastes baies vitrées de la façade ne cherchent pas à se donner des airs de mur porteur. Les structures sont ainsi clairement affichées, et animent à elles seules la façade, pratiquement dépourvue de décoration.

Cette mise en valeur de l'ossature en béton, avec parfois un remplissage de briques sous les fenêtres, peut faire penser à Perret. Ce n'est pas une coïncidence : aux Beaux-Arts, Auguste Perret a été l'élève de Jules Guadet – le père de l'architecte de cette maison – et c'est l'entreprise Perret Frères qui l'a construite.

A VOIR AUX ALENTOURS :
– X... / Logements / 59, bd. Murat (vers 1930)
– L. POLLET / Piscine Molitor / 10, av. de la Porte Molitor (1929)
– L. FAURE-DUJARRIC / Stade Roland Garros / Av. de la Porte d'Auteuil (vers 1930)

Roger TAILLIBERT.

P. RICHARD, ing.

1972

Stade du Parc des Princes

Av. du Parc des Princes (16ème)
Métro : Porte de Saint-Cloud, Exelmans
Maître d'ouvrage : VILLE DE PARIS

La conception de ce stade, implanté sur un terrain relativement exigu et sous lesquel passe le tunnel à grande circulation du boulevard périphérique, « a été entièrement dictée par sa fonction : permettre à 50.000 spectateurs d'assister assis aux compétitions sportives, sans être gêné par aucun obstacle visuel, tels que piliers, poteaux etc. »

« Les gradins et la toiture de 17.000 m² ont été préfabriqués et sont accrochés – sans aucun point d'appui au sol – sous une cinquantaine de consoles auto-stables de 30 à 50 m. de portée, elles aussi préfabriquées. Ces consoles, qui jaillissent du sol en porte-à-faux à la fois vers l'avant et vers l'arrière, gardent les traces de leur coffrage en bois, pour rappeler qu'elles sont une charpente. De l'extérieur, elles dégagent une série de perspectives changeantes en fonction du cheminement du piéton ».

60.000 m³ de béton et 6.000 tonnes d'acier ont été utilisés pour construire le Parc des Princes.

A VOIR AUX ALENTOURS :
– *M. ROUX-SPITZ / Logements / 22, rue Nunges-*
  ser et Coli (1931)

LE CORBUSIER et Pierre JEANNERET

1932
Logements

24, rue Nungesser et Coli (16ème)
Métro : Michel Ange-Molitor, Porte de Saint Cloud

199

Même quand il construit un traditionnel immeuble de rapport coincé entre deux mitoyens – un modèle qu'il rejetait au profit des « Cités Radieuses » – Le Corbusier innove.

La comparaison avec l'immeuble voisin (n° 22), dû au néo-classique Roux-Spitz et construit presque en même temps, permet de mesurer le bouleversement architectural apporté par Le Corbusier.

La façade habituelle – un mur plein percé de fenêtres – disparait ici au profit d'une « façade en pan de verre qui donne une paroi d'insolation totale » (1). Mme Dalsace raconte d'ailleurs qu'elle avait surpris à plusieurs reprises Le Corbusier en train de faire des croquis de la célèbre maison en pavés de verre (cf. p. 52).

Autre innovation, les appartements sont en « plan libre », c'est à dire livrables sans aucune cloison intérieure, hormis les blocs cuisines et salles de bains. Ce qui provoque l'incompréhension des premiers clients qui s'exclament : « ce ne sont pas des appartements, ça ! » (1). Du coup « il fallut se résoudre à reconstruire les cloisons » (1) pour pouvoir vendre les appartements.

Le Corbusier avait installé son atelier et son appartement dans les deux derniers étages.

(1) « L'Architecture d'Aujourd'hui », septembre 1934.

A VOIR AUX ALENTOURS :
– G. BUFFIERE / Foyer pour handicapés / 6, av. Félix d'Hérelle (1982)
– P. et L. GUIDETTI / Ensemble HBM / 5, place de la Porte de Saint Cloud (1925)
– POMMIER, J. BILLARD et P. LANDOWSKI / Fontaines / place de la Porte de Saint Cloud (1935)

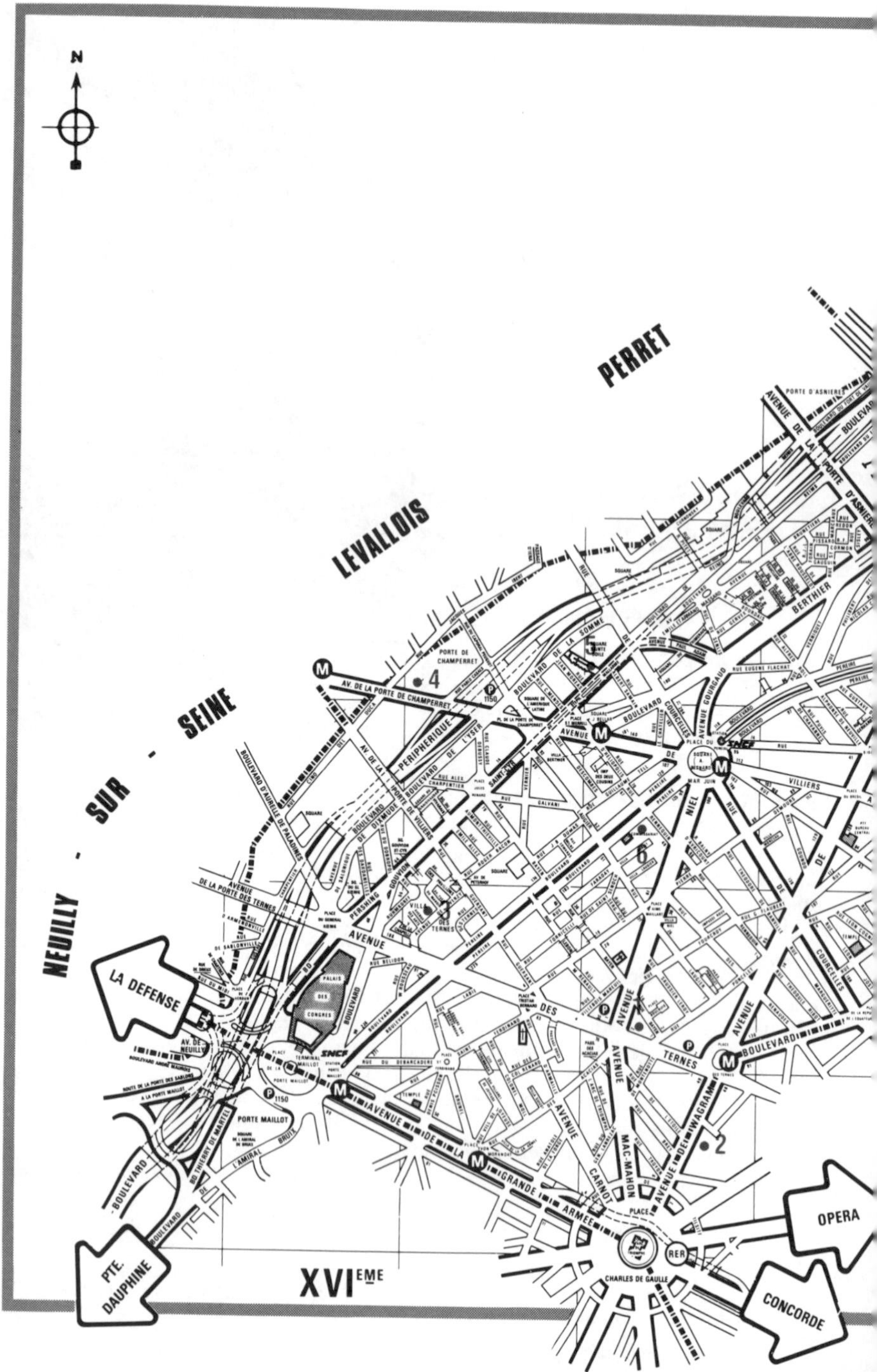
N
PERRET
LEVALLOIS
NEUILLY - SUR - SEINE
LA DEFENSE
PTE. DAUPHINE
XVIEME
OPERA
CONCORDE
CHARLES DE GAULLE
PORTE MAILLOT
PORTE DE CHAMPERRET
PORTE D'ASNIERES
AVENUE DE LA GRANDE ARMEE
AVENUE DES TERNES
BOULEVARD BERTHIER
BOULEVARD PERIPHERIQUE
AVENUE DE WAGRAM
AVENUE MAC-MAHON
AVENUE CARNOT
AVENUE DE VILLIERS
AVENUE DE NIEL
PALAIS DES CONGRES
SNCF
RER
1
2
3
4
5
6

Marcel OUDIN

1912
Magasins du Printemps

28, av. Niel (17ème)
Métro : Ternes
Maître d'ouvrage : MAGASINS « A L'ECONOMIE MENAGERE »

Un immeuble précurseur de l'architecture moderne par son refus de camoufler ses structures et ses matériaux, mais malheureusement très endommagé par des transformations ultérieures.

Avec une audace particulièrement remarquable dans ce quartier bourgeois, Oudin laisse largement apparent le béton de la façade et souligne ses structures. Les volumes ne cherchent nullement à faire croire à un immeuble d'habitation et indiquent nettement qu'il s'agit d'un grand magasin.

Les grès qui décoraient la façade, soulignant la différence entre les structures porteuses et les parois de remplissage, ont disparu. De la même manière, le grand fronton aveugle sur l'avenue Niel a été remplacé par un banal toit d'ardoise percé de grandes lucarnes, et le dôme d'angle en ciment en forme d'obus a été détruit, remplacé par un étage supplémentaire et un autre dôme, lui bourgeoisement recouvert d'ardoise.

Jules LAVIROTTE

1904
Ceramic Hôtel

34, av. de Wagram (17ème)
Métro : Etoile

203

Lavirotte est surtout connu pour ses immeubles à la décoration exubérante en céramique, square et avenue Rapp (cf. p. 56). Trois ans après ce dernier immeuble, il construit le Ceramic Hôtel qui montre bien comment l'Art Nouveau est la transition vers l'architecture moderne.

Les ornementations florales subsistent encore sur la façade en béton, revêtue de grès de Bigot. Mais elles semblent n'être qu'un accompagnement : plus qu'une décoration autonome, elles servent essentiellement à souligner les volumes presque géométriques accrochés à la façade plane en céramique claire, un matériau éminemment « moderne ».

Car ici, ce n'est plus la décoration mais les volumes qui animent la façade : deux bow-windows verticaux dont la disposition dynamique de part et d'autre de l'épaisse barre horizontale du balcon est un prémice des jeux de volumes de l'architecture moderne.

Les motifs végétaux « Art Nouveau » des grilles du rez-de-chaussée et des garde-corps des balcons tendent, eux aussi, vers une certaine abstraction.

A VOIR AUX ALENTOURS :
- J. REY / Bureaux / 46, rue des Acacias (1973)
- X... / Piscine de l'Etoile (transformée en discothèque) 46, rue de Tilsitt (1934)
- P. DUFAU / Bureaux / 166, av. de la Grande Armée (1976)
- G. GILLET / Palais des Congrès / place de la Porte Maillot (1974)

- A. ARFVIDSON / Logements / 10, place du Général Koenig (1932)
- R. PERRUCH / Logements / 3 et 5, rue du Dobropol (1931)
- R. PERRUCH / Logements / 42, bd. Gouvion Saint Cyr (vers 1930)

204

Michel **LONDINSKY** et Bernard **BOURGADE**

1980
22 logements sociaux

11 bis, av. de Verzy (17ème)
Métro : Porte Maillot
Maître d'ouvrage : RIVP

Quand ils ont appris que la Ville de Paris allait construire une HLM au milieu de leurs hôtels particuliers, les habitants de la très bourgeoise villa des Ternes ont immédiatement essayé de faire annuler le permis de construire, ainsi qu'ils avaient déjà réussi à le faire pour plusieurs précédents projets de la Ville.

Pour un prix record (2.700 F le m^2), les architectes sont quand même parvenu à réaliser leur projet, conçu comme « une suite de maisons de ville ».

« Nous avons voulu donner à une habitation collective un aspect d'habitat individuel. La succession de toits à deux pentes, de cages d'escaliers à claire-voie et d'avancées suggère une succession de pavillons, alors qu'en fait, l'immeuble ne compte que des appartements, classiques ou en duplex ».

Une HLM très privilégiée, qui a notamment compté un ministre parmi ses locataires.

A VOIR AUX ALENTOURS :
– *E.D. / Logements / 73, rue de Bayen (1977)*
– *B. REICHEN et P. ROBERT (bât. originel :*
  J. FLEGENHEIMER) / Logements réhabilités /
  64, rue Laugier (1931-1987)
– *BALI / Ensemble HBM / 5, place de la Porte*
  Champerret (1934)

Wladimir MITROFANOFF

205

1986
70 logements sociaux

rue Jacques Ibert (17ème)
Métro : Porte de Champerret
Maître d'ouvrage : RIVP

Un « immeuble des limites, la dernière construction de Paris avant Levallois, édifiée sur les anciennes fortifications ».

D'où une « forme de barrière, mais de barrière transparente : la cour intérieure, au lieu de séparer classiquement deux immeubles distincts, est intégrée dans la continuité de la façade où elle forme un grand vide. Elle est soulignée par un haut pilier et de puissantes poutres, un peu comme si un coup de vent avait abattu un pan du mur, révélant le squelette de la construction ».

Sur le toit « des grands signes rouges – un triangle et, côté Levallois, un arc – marquent symboliquement les entrées. Eclairés la nuit, ils sont faits pour être vus du périphérique et rendre l'immeuble reconnaissable ».

Poutres, pilier, triangle, arc : tous ces « signes » de grandes dimensions donnent une échelle monumentale à cet immeuble qui n'a pourtant que 17 m. de haut, c'est-à-dire un peu moins qu'un classique immeuble haussmannien de 6 étages.

A VOIR AUX ALENTOURS :
– *P. PATOUT / Ensemble de logements / 2-8, rue Catulle-Mendes (1929)*

Jacques BARGE. *1935-1942*
Eglise Sainte Odile

2, av. Stéphane Mallarmé (17ème)
Métro : Porte de Champerret
Maître d'ouvrage : ASSOCIATION DIOCESAINE DE PARIS

Dans l'entre-deux-guerres le cardinal Verdier, archevêque de Paris, lance un grand programme de construction d'églises, les « chantiers du cardinal ».
Il s'agit tout à la fois de lutter contre le chômage et de donner des édifices religieux aux banlieues et quartiers qui poussent autour des anciennes fortifications de Paris. Dans le nouveau quartier de la porte Champerret, on évalue à « quelques 30.000 âmes » ces habitants sans église (1).
A cette nouvelle clientèle, il faut une nouvelle architecture, différente du néo-gothisme de mise depuis le milieu du 19e siècle. Pas question toutefois d'adopter les idées du Mouvement moderne, qui sentent encore trop le souffre.
Barge se réfugie ici dans un néo-byzantinisme rassurant. Touche de « modernisme », il surmonte ses coupoles inspirées de Sainte-Sophie de Constantinople d'un clocher expressionniste à ailettes de 72 m. de haut, qui semble directement sorti de la « Métropolis » de Fritz Lang.
A l'intérieur, vitraux de François Decorchemont et statues de Gérard Ambroselli.

(1) Archives de l'Association diocésaine de Paris.

A VOIR AUX ALENTOURS :
– *A. PERRET / Logements (immeuble David Weill) / 174, bd. Berthier (1953)*
– *J. BASSOMPIERRE, P. de RUTTE et P.*

SIRVIN / Ensemble HBM / 134-142, bd. Berthier (1933)
– *J.P. et A. JOUVE / Logements / 67, rue Ampère (1983)*

G.A. DREYFUS et
V. METTE

1931
Ateliers d'artistes

145, bd. Péreire (17ème)
Métro : Péreire

207

La bourgeoisie éclairée de l'entre-deux-guerres s'est entichée des appartements en forme d'ateliers d'artistes, duplex noyés de lumière et qui permettent les jeux de volumes intérieurs (cf. p. 137).
Ici la fiction n'est pas possible : il s'agit bien d'appartements d'habitation, et non d'ateliers d'artistes. L'orientation des grandes baies – plein sud – le montre, ainsi que la façade, qui utilise la solide pierre de taille des immeubles de rapport bourgeois.

A VOIR AUX ALENTOURS :
– *M. TERRISSE et H. DECAUX / Garage / 55,*
  rue Pierre Demours (vers 1926)
– *P. PATOUT / Hôtel / 11, av. de Wagram (1929)*
– *R. GRAVEREAUX / Ecole / 20, rue Médéric*
  (1936)
– *E. ALBERT / Bureaux / 85 bis, rue Jouffroy*
  (1955)
– *P. VIMOND / Logements / 70, rue Jouffroy*
  (1983)

Auguste PERRET

1929
Salle de l'Ecole normale de musique

78, rue Cardinet (17ème)
Métro : Malesherbes

Un bâtiment qui résume Perret, technicien audacieux et architecte nourri de tradition.

La façade est inspirée de l'Antique. Mais sa frise n'est pas gratuite : elle cache en fait les bouches de ventilation de la salle, en application du principe de Perret de « ne tourner en ornement que ce qui est nécessaire » à la construction.

Derrière la façade, l'exploit technique. Sur un terrain malcommode (9 mètres de façade sur 29 mètres de profondeur), il est parvenu à construire une salle de concert qui, estimait le pianiste Alfred Cortot, « sonne comme un Stradivarius » (1).

Pour cela, il a totalement repensé les principes d'acoustique. La salle, semi-circulaire et perpendiculaire à la rue, est aussi haute que large. Ses murs et son plafond sont recouverts de fins panneaux de bois agraffés sur des tasseaux, sortes de diaphragmes qui vibrent librement, la transformant en une véritable caisse de résonnance.

(1) Cité par Marc Emery dans « Un siècle d'architecture moderne ». Ed. « Horizons de France » (1971).

A VOIR AUX ALENTOURS :
– *H. SAUVAGE / Logements / 27, rue Legendre*
   (1928)
– *R. BELLUGUE et P. GUIBERT / Ecole / 118,*
   rue de Saussure (1984)

A. DRESSE et L. OUDIN.
1938
René LECARD, collab.
Groupe scolaire

76, bd. Berthier (17ème).
Métro : Péreire

Maître d'ouvrage :
VILLE DE PARIS

209

Utilisation originale d'un terrain en coin pour cette école, édifiée dans la grande vague de construction d'établissements scolaires des années 30 (cf. p. 81) : c'est l'épaisseur du bâtiment principal, abritant les salles de classes, qui sert de façade. Celle-ci est traitée comme le signal d'un véritable monument public. Ses volumes – sorte de « style intermédiaire », synthèse du savoir-faire des architectes traditionnels et des idées du Mouvement moderne – la différencient nettement des HBM et entrepôts environnants. Les armes de la Ville – gravées sur son fronton – manifestent la présence de la puissance publique, en cette période de renforcement du poids de l'Etat.

A l'intérieur, les préoccupations hygiénistes de l'époque sont partout présentes : le groupe comprend une « salle de propreté », une grande salle de douches, et une salle de repos. De même, les baies vitrées de près de 20 m² des salles de classes traduisent la recherche de la lumière et de ses vertus thérapeutiques, à une époque où la tuberculose était encore une réalité et où l'on prescrivait fréquemment aux enfants des « cures de soleil ».

A VOIR AUX ALENTOURS :
– *J.P. PAQUET / Lycée Honoré de Balzac / 114, bd. Bessière (1948)*
– *J.A. FOURQUIER et J. FILHOL / Piscine / 79,*
rue de la Jonquière (1982)
– *B. BOURGADE et M. LONDINSKY / Foyer de personnes âgées / 87, rue de la Jonquière (1985)*

Alain PERROT
Alain MANOILESCO et Radou VINCENZ, collab.

1980
Crèche pour 60 enfants

1, bd. du Bois-le-Prêtre (17ème)
Métro : Porte de Saint-Ouen
Maître d'ouvrage : VILLE DE PARIS

« Deux échelles de construction » pour cette crèche édifiée au bord d'un boulevard à grande circulation, à proximité du périphérique.
« Sur le boulevard, une façade sévère abrite les services administratifs. Elle protège des nuisances les dortoirs en rez-de-chaussée situés à l'arrière, petits pavillons à toits pointus et lucarnes semi-circulaires, qui ouvrent sur un jardin, formant un hameau à l'échelle des enfants ».
Le carrelage blanc, « choisi pour sa facilité d'entretien et sa luminosité, vise à différencier visuellement la crèche de son environnement de tours grises ».

A VOIR AUX ALENTOURS :
– *Agence d'architecture HBM / Ensemble de logements / 24, bd. Bessières (1933)*
– *FEINE / HBM / 17, bd. Bessières (1911)*
– *X... / Logements / 25, rue Jean Leclaire (1938)*
– *A. BERTIN et A. KANDJIAN / Logements / 26 et 29, rue des Apennins (vers 1930)*
– *J.J. ORY / Réhabilitation de bureaux / 56, rue Truffaut (1984)*

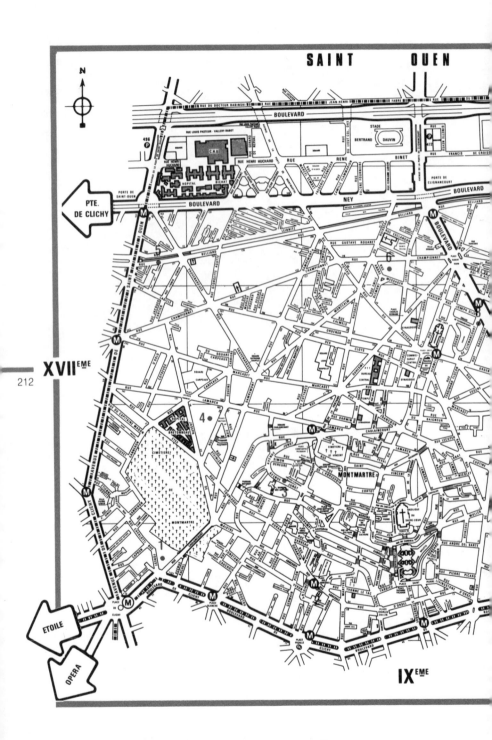

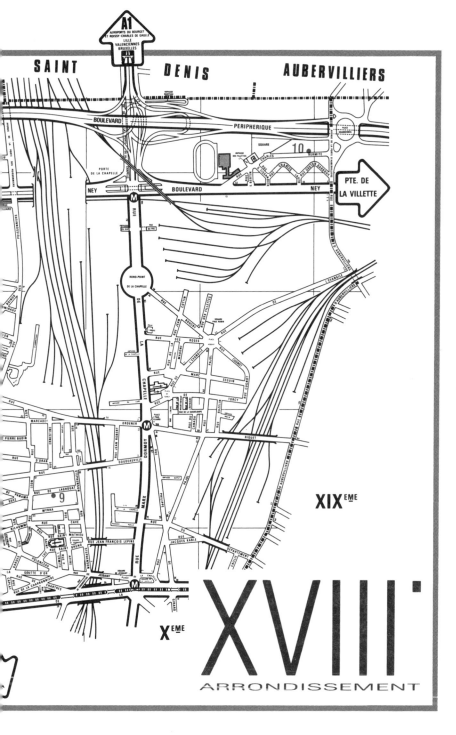

Mario HEYMANN et Hughes JIROU. *1982*

D. HERTENBERGER et J. VITRY, arch. conseil

Deux hôtels et centre commercial

1, rue Caulaincourt (18ème)
Métro : Place de Clichy
Maître d'ouvrage : **COGEDIM**

Construit sur le terrain du cinéma « Gaumont Palace », ce projet a mis 12 ans à sortir de terre, du fait de plusieurs changements de programme. Finalement, les structures du bâtiment ne correspondant plus aux fondations initialement creusées, il a fallu le « poser sur une assiette en béton au niveau du premier étage ».

« Nous avons surtout voulu faire oublier que l'immeuble compte une dizaine d'étages en découpant horizontalement la façade, pour faire apparaître des éléments très lisibles, à l'échelle des immeubles haussmanniens de six étages qui l'entourent : étages courants très sculptés, « étages nobles » formés de deux niveaux groupés et, au sommet, des surfaces biaisées, symbolisant la toiture traditionnelle ».

La façade d'angle est « volontairement monumentale, pour ponctuer le sommet de la place de Clichy. Deux chambres de prestige devaient s'y ouvrir, à l'endroit où se trouvent les enseignes des hôtels. Mais cela n'a pas été possible, le mobilier standardisé ne se prêtant pas à l'ameublement de chambres de grandes dimensions ».

A VOIR AUX ALENTOURS :
- *W. SCOB / Cinéma Wepler Pathé / 140, bd. de Clichy (1956)*
- *M. ROUX-SPITZ / Logements / 2, rue Biot (1930)*
- *DUMONT / Bureau de poste / 61, rue de Douai (1975)*
- *BENSAID et DAROY / Logements / 2, rue Coustou (1932)*
- *G. VEISSIERE / Garage / 4, rue Coustou (1928)*

215

Anatole de BAUDOT

Vers 1894-1904
Eglise Saint Jean de
Montmartre

21, rue des Abbesses
(18ème)
Métro : Abbesses

Première église en béton armé, construite par un architecte néo-gothique disciple de Viollet-Leduc, qui eut dans les années 1890 l'intuition des extraordinaires possibilités du béton, « à la fois ossature et enveloppe » (1).

Le projet a été choisi en raison de son faible coût par le curé de la paroisse, qui le finança largement sur ses propres deniers. L'église a mis une dizaine d'années à être terminée, au terme d'un procès et d'une ordonnance de démolition (jamais exécutée) : l'Administration, peu au fait du nouveau matériau, n'accordait aucune confiance aux planchers et au toit-voûte de 7 cm. d'épaisseur, ni aux piliers de 50 cm. de côté qui montent à 25 m. de hauteur.

A l'intérieur, les ogives et nervures néo-gothiques laissent penser que si Baudot s'est passionné pour le béton, c'est aussi parce qu'il lui permettait une construction qui se rapprochait de son idéal : l'architecture gothique. Il n'en a pas moins fait un bâtiment qui, par la volonté d'utiliser jusqu'au bout les possibilités du nouveau matériau, et par l'emboîtement de ses volumes, annonce déjà l'architecture des années 20.

(1) Cf. l'article de Françoise Boudon dans « Architecture, Mouvement, Continuité » n° 28 (mars 1973).

A VOIR AUX ALENTOURS :
– H. GUIMARD / Station de métro Abbesses /
  Place des Abbesses (vers 1900)
– A. PERRET / Théâtre Maubel (réhabilitation) /
  4, rue de l'Armée d'Orient (XVIII° siècle – 1913)

Adolf LOOS

1926
Maison Tzara

15, av. Junot (18ème)
Métro : Lamarck-
Caulaincourt
Maître d'ouvrage :
TRISTAN TZARA

« L'évolution de la civilisation va dans le sens de l'expulsion de l'ornement hors de l'objet » (1), estimait l'Autrichien Adolf Loos. Pour le poète dadaïste Tristan Tzara, il construisit une maison qui résume sa démarche architecturale.
Aucun souci de séduction, ni « ornement » ni « beaux » volumes, dans ce parallélépipède sans fantaisie.
Difficile de trouver plus banal que les matériaux – crépi et moëllons – dont il est fait. Mais le crépi blanc oppose sa légèreté aux lourds moëllons sombres du soubassement. La loge en hauteur – grande fenêtre elle-même percée de fenêtres, comme dans un tableau surréaliste – c'est encore la légèreté qui répond au puissant renfoncement du rez-de-chaussée, dont les poutres blanches soulignent la solidité. De même, les autres éléments de la façade (fenêtres, garde-corps etc.) n'ont pas la moindre originalité. Mais leur composition est du jamais vu. Désordre ? Certainement pas, à voir la symétrie strictement classique qui ordonne cette façade. Dans la lignée des surréalistes qui voulaient « tuer l'art », Loos démontre ici que l'essence de l'architecture ce n'est pas la joliesse des différents éléments qui composent un bâtiment, mais les rapports qu'ils entretiennent entre eux.

(1) Adolf Loos, « Ornement et crime » (1908).

A VOIR AUX ALENTOURS :
– F.C. CHEVALIER / Logements / 12, av. Junot . (1935)
– X... / Logements / 15, rue Simon Dereure (vers 1930)
– X... / 3 Maisons / 26-30, av. Junot (vers 1928)
– A. THIERS / Logements / 36, av. Junot (vers 1930)

Yves JENKINS.
Bruno COUTELLIER, collab.

1983

117 logements sociaux

*21, rue Eugène Carrière
(18ème)
Métro : Lamarck-
Caulaincourt
Maître d'ouvrage : RIVP*

217

Au départ, « un terrain ingrat, tout en longueur, enclavé dans l'îlot, entre les murs aveugles des constructions voisines ».

Refusant « la facilité de construire une succession de bâtiments séparés par des cours résiduelles », Jenkins a voulu « faire pénétrer la ville dans cet espace clos et retrouver l'esprit des voies privées bordées de jardin en construisant autour d'un square ».

« Les immeubles s'appuient sur les murs sans fenêtre des constructions mitoyennes, qu'ils dissimulent complètement. Les axes du square sont affirmés par des frontons, et le rez-de-chaussée des immeubles est revêtu de carrelage vert, couleur peu employée en architecture extérieure, qui accentue le caractère verdoyant et intime de l'ensemble ».

A VOIR AUX ALENTOURS :
– *Y. JENKINS et B. COUTELLIER / Foyer de personnes âgées / 4, rue Eugène Carrière (18ème)*
– *A. THIERS et H. TRESAL / Ateliers d'artistes / 187, rue Ordener (1932)*

Henri DENEUX

1913
Logements

185, rue Belliard (18ème)
Métro : Guy Moquet
Maître d'ouvrage : HENRI DENEUX

Un immeuble construit à son usage personnel par un architecte en chef des monuments historiques.

Elève d'Anatole de Baudot (cf. p. 215), il reprend ici les grands principes de son maître, mis en application à l'église Saint-Jean de Montmartre : structure apparente en béton, façade (également en béton) protégée par une « peau » étanche en céramiques.

Sur le toit plat – un choix résolument audacieux qui sera, dans la décennie suivante, un des « must » du Mouvement moderne – une terrasse si soigneusement réalisée, que son étanchéité n'a nécessité aucune amélioration ultérieure.

A VOIR AUX ALENTOURS :
– *A. GHIULAMILA / Crèche + logements / 8-14, rue Georgette Agutte (1983)*
– *Agence d'architecture HBM / Ensemble de logements / 118, bd. Ney (1928)*
– *E. BOIS / Ecole / 1, rue Gustave Rouanet (1934)*
– *A. MANOILESCO / Logements / 96, rue du Ruisseau (1984)*

AGENCE D'ARCHITECTURE DE L'OFFICE D'HABITATIONS A BON MARCHE

Architecte en chef :
M. MALINE

1931

Ensemble H.B.M. (815 logements sociaux)

Rues André Messager et Emile Blémont (18ème)
Métro : Jules Joffrin, Simplon
Maître d'ouvrage :
OFFICE D'HBM DE LA SEINE

219

Les années 30 marquent l'âge d'or de la construction sociale. L'Office d'habitations à bon marché (HBM) a une solide agence d'architecture (dissoute en 1937) qui a déjà assimilé les idées du Mouvement moderne et n'a pas encore oublié le savoir-faire des classiques. De plus, la clientèle s'est élargie : après avoir donné un toit aux déshérités, la Ville construit maintenant pour les classes moyennes, nettement plus exigeantes en matière de logement.

Ici, le grand ensemble n'est plus un ghetto refermé sur lui-même (cf. p. 104 et 258), mais épouse les formes de la ville, ses rues et ses places. Les jeux de briques des façades ponctuées de blanc soulignent le fractionnement des volumes. Les fenêtres se diversifient – balcons, bow-windows etc. – et les derniers étages sont prétextes à une floraison d'ateliers d'artistes, de terrasses et de pergolas.

Un âge d'or qui durera une dizaine d'années, avant que les barres et tours grises plantées au milieu de mornes « espaces verts » – sous-produits des idées du Mouvement moderne – ne deviennent la règle pour une génération d'architectes.

A VOIR AUX ALENTOURS :
– *G. LABRO / Centre PTT / 21, rue Duc et 161, rue Marcadet (1932-1936)*
– *H. SAUVAGE et C. SARRAZIN / Logements / 7, rue de Tretaigne (1904)*
– *REMOISSONET / Hôtel / 70 bis, bd. Ornano (1919)*
– *GRIDAINE / Cinéma / 43, bd. Ornano (1933)*
– *X... / Bureaux / 24-34, rue Championnet (vers 1950)*

Henri SAUVAGE

1922 (plans : 1909)
80 logements sociaux + piscine

13, rue des Amiraux (18ème)
Métro : Simplon, Marcadet-Poissonniers
Maître d'ouvrage : OFFICE D'HBM DE LA SEINE

Exemple le plus achevé du principe des immeubles à gradins, réalisé pour la première fois par Sauvage en 1912, rue Vavin (cf. p. 44).

A une époque où la tuberculose fait encore des ravages dans la classe ouvrière et où l'on installe des solariums sur les toits des écoles, Sauvage apporte une réponse hygiéniste – symbolisée par les carrelages blancs biseautés, style « métro » – à des préoccupations sociales qui sont aussi les siennes (il est notamment fondateur d'une société de logements à bon marché).

Le retrait de la façade en gradins successifs permet « d'éclairer la rue », tout en laissant pénétrer l'air et le soleil dans les logements. Les terrasses, presque aussi vastes que les pièces d'habitation, sont des mini-jardins ouvriers où peuvent pousser fleurs et plantes, faisant de l'ensemble une sorte de cité-jardin verticale.

La construction sur un îlot presque entier – et non sur une simple parcelle entre deux immeubles, comme rue Vavin – permet à Sauvage de pousser jusqu'au bout la logique de sa « maison à gradins », qui devient ainsi une sorte de pyramide. Dans l'espace intérieur laissé libre par l'avancée des étages inférieurs, il intègre des équipements collectifs, devançant les « Cités Radieuses » de Le Corbusier. Ici, c'est une piscine – récemment rénovée – qui a été installée, signe de l'engouement croissant pour le sport.

Ce passage de l'immeuble individuel à l'îlot – et donc de l'architecture à l'urbanisme – amènera Sauvage à faire des projets de pyramides de plus en plus vastes, qualifiés par ses détracteurs de « babyloniens », et jamais réalisés. Il avait notamment projeté le « Giant hotel », immeuble de 16 étages sur le quai Branly, la couverture du cimetière Montparnasse par 115.000 m^2 de logements et, enfin, la « Cité Satellite », où les voitures circulaient à l'intérieur de l'espace creux des pyramides.

A VOIR AUX ALENTOURS :
– *J.M. CHARPENTIER / Logements / 2-8, rue du Simplon (1986)*

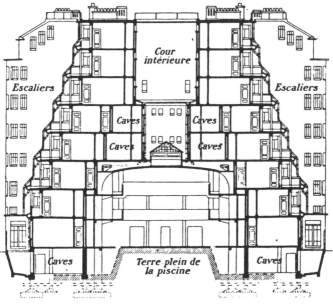

Escaliers

Cour intérieure

Escaliers

Caves

Caves

Caves

Caves

Caves

Caves

Terre plein de la piscine

Coupe

Claude CHARPENTIER

1985
Conservatoire de
musique
29, rue Baudelique (18ème)
Métro : Simplon, Marcadet-
Poissonniers
Maître d'ouvrage :
VILLE DE PARIS

Un conservatoire qui entend « affirmer son caractère propre en créant un effet de surprise qui le différencie nettement des bâtiments standard de bureaux et de logements ».
C'est le rôle imparti aux bow-windows métalliques « influencés par le Modern Style ». Ils sont nettement séparés les uns des autres « pour rythmer la façade et, à l'intérieur, éviter les interférences sonores d'une salle à l'autre ».
Les moulures arrondies et la fresque au dessus du porche « adoucissent la façade austère avec son opposition métal-carrelage, noir sur blanc », comme des notes sur une portée musicale.

A VOIR AUX ALENTOURS :
– *FAU et AYER / Logements / 51, rue Marcadet (1984)*
– *X... / Magasin / 100, rue Myrha (1952)*
– *G. DEBRE / Centre israélite de Montmartre / 16, rue Lamarck (1938)*
– *X... / Centre EDF-GDF / 70 bd. Barbès (vers 1925)*

André BERTIN et
Abro KANDJIAN

1934
Logements locatifs

21, rue de Laghouat (18ème)
Métro : Château-Rouge
Maître d'ouvrage :
FERNAND BERTIN

Un exemple de « petits-maîtres » néo-classiques de l'architecture de l'entre-deux-guerres, rejetés dans l'oubli par la domination des idées du Mouvement moderne. « Nous voulions rompre avec l'architecture classique, mais sans tomber dans l'extrémisme d'un Le Corbusier. Notre maître à penser était alors Mallet-Stevens ». Résultat, un immeuble discrètement cubiste, avec une façade sur trois plans (légères avancées des salles de séjour et des balcons), et des fenêtres au dessin rigoureux et raffiné. Mais le matériau reste la classique pierre de taille, « seule valeur sûre à l'époque pour un investisseur immobilier ».

A VOIR AUX ALENTOURS :
– *A. BIRO et J.J. FERNIER / Logements / 62, rue*
   Doudeauville (1981)
– *J.C. LE BAIL et J. PENVEN / Ecole / 53, rue*
   Marx Dormoy (1980)

224

LE PEIGNEUX et POULAIN

1938
Groupe scolaire

2, rue Charles Hermitte (18ème)
Métro : Porte de la Chapelle
Maître d'ouvrage :
VILLE DE PARIS

Depuis la fin des années 20, un vent de rénovation souffle sur l'école de Jules Ferry où « tous les élèves de France faisaient la même dictée, le même jour, à la même heure ». L'accent est mis sur le développement personnel de l'élève : depuis une dizaine d'années Célestin Freinet met en pratique sa méthode de « pédagogie populaire ». A ce refus de fabriquer des élèves en série répondent de nouvelles formes architecturales : les bâtiments scolaires sortent de l'uniformité anonyme qui étaient leur lot depuis Jules Ferry et se posent en « monuments de quartier » (cf. p. 81).

La position dominante de l'équipement public s'affirme dans le porche-portique monumental, la partie la plus forte – et la plus dramatisée – du bâtiment : deux volumes hauts soulignés par le blanc des hautes cages d'escaliers, encadrant un bandeau bas, laissant voir le ciel au-dessus. Nulle autre fenêtre ne signale une vie interne, dans ce qui pourrait être une grande sculpture symbolisant la puissance des pouvoirs publics.

A VOIR AUX ALENTOURS :
– *C.N. QUEFFELEC / Centre d'accueil des étrangers / 223, bd. Mac Donald – 19ème (1985)*
– *P. ENAULT / Logements / 113, bd. Mac Donald – 19ème (1933)*

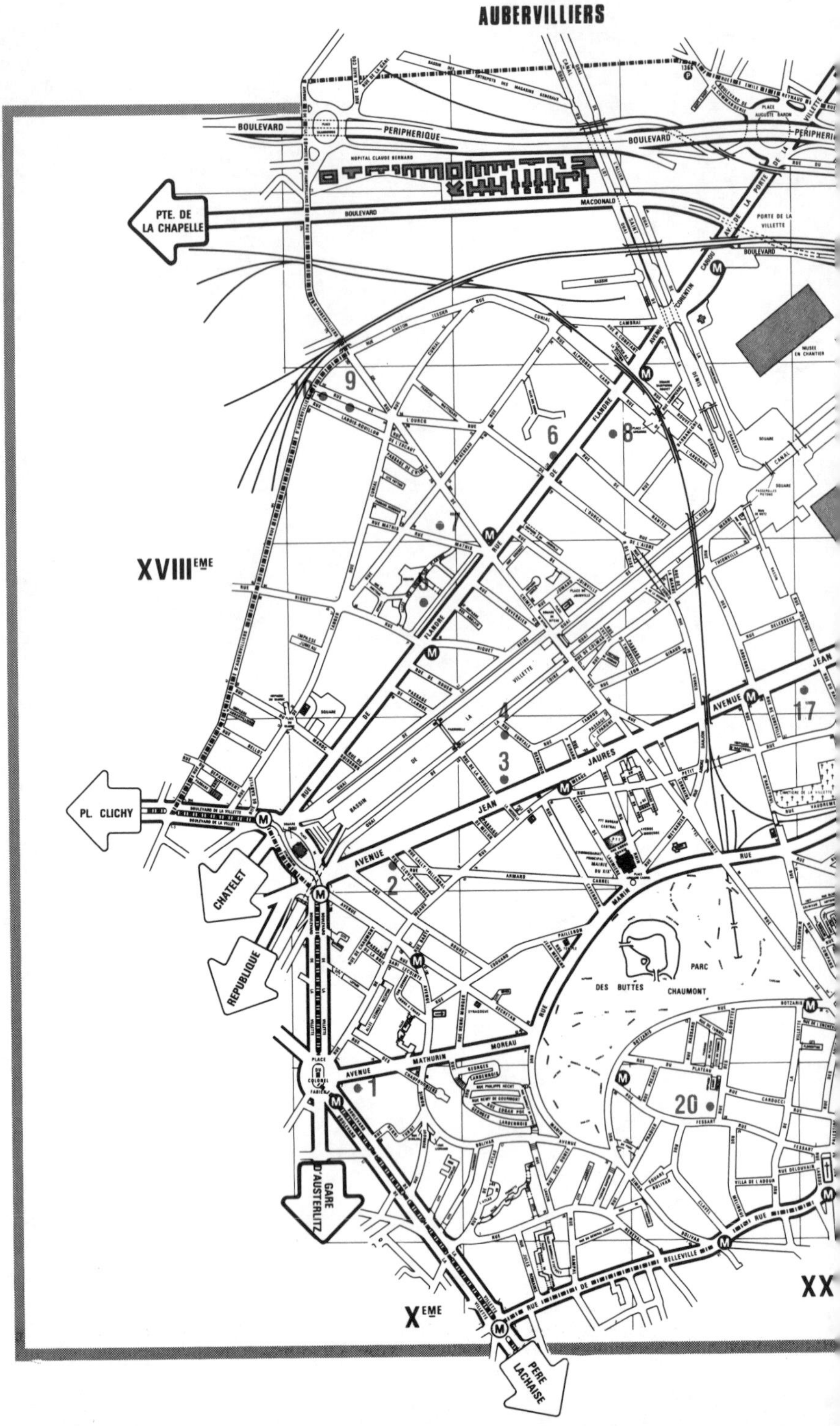

AUBERVILLIERS

XVIIIEME

226

PTE. DE
LA CHAPELLE

PL. CLICHY

CHATELET

REPUBLIQUE

GARE
D'AUSTERLITZ

PERE
LACHAISE

PORTE DE LA
VILLETTE

JEAN

17

JAURES

JEAN

PARC
DES BUTTES CHAUMONT

20

BELLEVILLE

XEME

XX

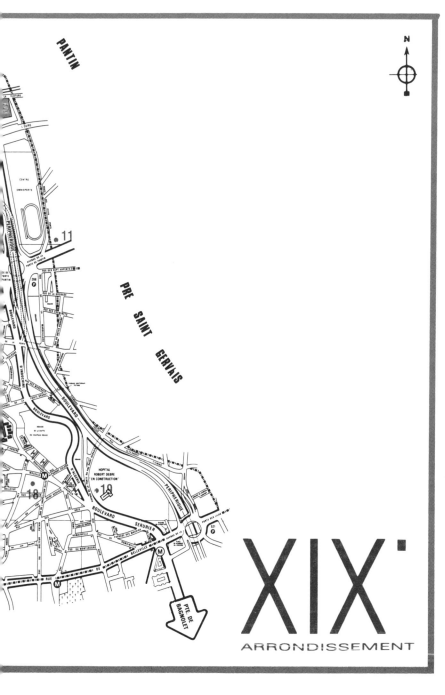

PANTIN

PRÉ SAINT GERVAIS

HOPITAL
ROBERT DEBRE
EN CONSTRUCTION

PTE. DE
BAGNOLET

XIX·
ARRONDISSEMENT

Oscar NIEMEYER.

P. CHEMETOV, J. DEROCHE, J.M. LYONNET et J. PROUVE (mur-rideau), collab.

1971-1980

Siège du Parti communiste français

2, place du Colonel Fabien (19ème)
Métro : Colonel Fabien
Maître d'ouvrage : P.C.F.

Architecte de Brasilia et militant communiste convaincu, Niemeyer a construit bénévolement cette « maison du travailleur » représentative du « monde sans préjugé et sans injustice qui est l'objectif du PCF ».

L'immeuble en lignes courbes, caractéristique du style de l'architecte brésilien, a été placé au fond du terrain pour élargir la place du Colonel Fabien et cacher la « présence insolite » d'une construction peu élégante qui se trouve derrière lui.

Le terrain a été dégagé au maximum, servant de parvis au « jeu de formes, de colonnes et d'espaces libres qui est la véritable architecture ». Le hall semi-enterré, devant lequel émerge le dôme de la salle de réunion du Comité Central, a été conçu en fonction de strictes contraintes de sécurité : Niemeyer a ainsi dû renoncer aux « pilotis et aux halls vitrés qu'ils suggèrent » pour assurer à l'immeuble des « entrées discrètes et facilement contrôlables ».

A VOIR AUX ALENTOURS :
- *M. HEUBES / Ensemble HBM / 20, av. Mathurin Moreau et 97, av. Simon Bolivar (1929)*
- *F. CROZET / Maison / 55, av. Mathurin Moreau (vers 1930)*
- *REMOND (?) / Maison / 57, av. Mathurin Moreau (1927)*
- *POLLET / Piscine Edouard Pailleron / 30, rue Edouard Pailleron (1933)*

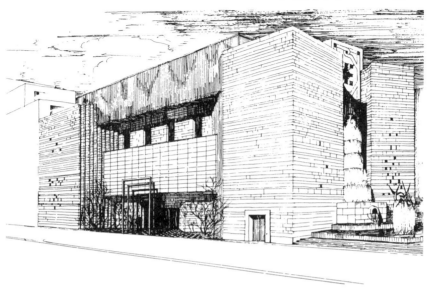

Fernand POUILLON. *Prévu : 1987*
Jacques REPELLIN, collab.

Conservatoire municipal de musique et de danse

Angle av. Jean Jaurès et rue Armand Carrel (19ème). Métro : Jaurès
Maîtres d'ouvrage : VILLE DE PARIS – SAGI

Première construction parisienne de Fernand Pouillon, retour en France après un exil de quinze ans en Algérie à la suite du spectaculaire krach du Comptoir National du Logement.

« Traitement symbolique » pour ce conservatoire situé en bordure de la rue Armand Carrel qui « relie le parc des Buttes-Chaumont à la plus belle porte de Ledoux », place de Stalingrad.

La fontaine, située à la pointe de l'immeuble sur l'avenue Jean Jaurès, vise à créer un « décor mineur » donnant à cet immeuble un « rôle dépassant la fonction de simple portail sur l'angle ». Le choix de la fontaine n'est pas gratuit, « les jeux d'eau n'ayant cessé d'inspirer les compositeurs depuis l'époque romantique ». Sortant de son mascaron central, une fausse coulée d'eau est la reprise d'un thème cher à Ledoux.

Pour la façade, une « symbolique théâtrale nettement affirmée pour créer un moment d'émotion » : dans le porche « conçu pour donner la vision de l'insolite théâtral, un fond de scène blanc laiteux et, couronnant le tout, le symbole des orgues du temple de la danse ».

Pouillon, « architecte du vieillissement », aimait construire en pierre massive. Faute de moyens il a dû se contenter ici de pierre plaquée ou reconstituée.

A VOIR AUX ALENTOURS :
– *D. HONEGGER / Eglise N.D. des Buttes / 80,
  rue de Meaux (1966)*

Michel HERBERT

1984

Caisse d'allocations familiales

67, av. Jean Jaurès (19ème)
Métro : Laumière
Maître d'ouvrage : RIVP

Herbert définit cette Caisse d'allocations familiales comme un « immeuble d'Etat tourné vers l'accueil des familles ».

Côté officiel, « les hautes verticales et le poids du béton clair incrusté de marbre des Pyrénées, qui fait sentir toute la densité des formes sculptées et évoque la pérennité de l'institution bien mieux que ne saurait le faire une façade en glaces ». A noter qu'une telle façade ne revient pas plus cher qu'un mur-rideau vitré.

Côté accueil, « la sollicitude à l'égard du public se manifeste par la luminosité du bâtiment, la finition soigneuse du béton bien poli et les arcades douces, sortes de fausses voûtes qui invitent à entrer ».

A VOIR AUX ALENTOURS :
– *M. HERBERT / Logements / 71, av. Jean Jaurès*
  (1984)
– *J. LEVY et C. MAISONHAUTE / Logements /*
  103, av. Jean Jaurès (1984)
– *H. GAUDIN / Ecole / 14, rue Euryale Dehaynin*
  (prévu 1987)

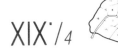

Edith GIRARD. *1985*
Brigitte OYON, collab.

111 logements sociaux

64, quai de la Loire (19ème). Métro : Laumière
Maître d'ouvrage : RIVP

Un ensemble de logements conçu en fonction de sa situation, au bord du bassin de la Villette.

« Le bâtiment de gauche, avec ses grandes baies vitrées et ses appartements traversant, offre à tous ses occupants l'eau du bassin au pied de leur moquette ».

A droite, la construction massive disposée en « U » autour d'une grande cour, « joue sur l'échelle et entend brouiller les cartes en supprimant la notion d'empilement d'étages : le soubassement gris (groupant 2 étages), les avancées blanches et très dessinées (3 étages) et l'attique du couronnement (2 étages), déterminent visuellement trois grands niveaux, alors que la construction en comporte sept, donnant l'impression d'un immeuble accroché à son toit massif ».

L'articulation des deux bâtiments laisse « un angle ouvert, grande échappée visuelle vers la rotonde de Ledoux, au bout du bassin ».

A VOIR AUX ALENTOURS :
- *M. VAN TREEK / Logements / 4, quai de la Marne (1984)*
- *Agence d'architecture HBM / Ensemble de logements / 51, rue de l'Ourcq (1925)*
- *C. VASCONI / Ensemble de logements / 23, rue de l'Oise (1986)*

- *Y. LION / Ateliers d'artistes / 47, quai de la Seine (1986)*
- *C. AGAPITOS / Locaux sociaux / 12-14, rue de Joinville (1980)*
- *M. DUPLAY / Logements / 41, quai de la Seine (1985)*

Martin S. VAN TREEK

1973-1980
Logements sociaux (« Les Orgues de Flandre »)

67-107, rue de Flandre et 14-24, rue Archereau (19ème)
Métro : Riquet, Crimée
Maître d'ouvrage : FOYER DU FONCTIONNAIRE ET DE LA FAMILLE

Un grand ensemble urbain (1.950 logements) « dessiné avec le regard du piéton », grâce à un appareil mis au point par l'architecte : le « relatoscope ». Il s'agit d'une minuscule caméra – inspirée de l'endoscope médical – qui se déplace dans la maquette et permet de visualiser sur un écran de télévision le projet tel qu'il apparaîtra au piéton, une fois réalisé.

« L'espace intérieur de l'îlot a été construit au fur et à mesure par cette méthode. C'est elle qui a donné l'idée de décaler les étages les uns par rapport aux autres, pour éviter une sensation d'étouffement à l'intérieur et, à l'extérieur, pour provoquer un sentiment de protection par les encorbellements ».

(A comparer avec les « barres » répétitives bâties au coin des rues de Flandre et Mathis, au début de la reconstruction de l'îlot, dans les années 60).

A VOIR AUX ALENTOURS :
– *R. ANGER, P. PUCCINELLI et L. VERDER /*
   Tour de logements / 127, rue de Flandre (1962)

233

Wladimir MITROFANOFF

1986
Collège (600 élèves)

1, rue de Cambrai (19ème)
Métro : Crimée
Maître d'ouvrage : **VILLE DE PARIS**

Une manière d'ouvrir l'école sur la ville : « les volumes de ce collège ont été disloqués, pour mettre en communication ce qui se passe dans la rue et ce qui se passe dans l'établissement ».

Celui-ci est organisé autour d'une colonne centrale, sorte de « totem » dont la mosaïque multicolore se détache sur le carrelage blanc des deux corps de bâtiment et signale de loin un édifice public. Comme une artère dans un organisme vivant, cette colonne contient les circulations : escaliers dans la partie opaque et passerelles transparentes vers les salles de classes.

Le coin de la rue a été dessiné pour « apporter du calme à un carrefour à grande circulation, et pour organiser l'espace au sol, face à des tours posées n'importe comment et qui n'organisent rien du tout ».

A VOIR AUX ALENTOURS :
– *J.P. BUFFI / Logements / 14, rue Mathis (1985)*

Jean-Pierre BUFFI.
Bernard LENORMAND,
Jean LAMUDE et Bruno
MINSTER, collab.

1982
60 logements sociaux

18, rue Mathis (19ème)
Métro : Crimée
Maître d'ouvrage : RIVP

234

Travail sur l'épaisseur de la façade, creusée pour donner à l'immeuble « une monumentalité qui ne soit pas un décor gratuit : les espaces nés de l'inflexion de la façade – bow-windows et balcons – sont des lieux de vie réelle, des intersections entre l'espace public de la rue et l'espace domestique des logements ».

Recherche du dynamisme : « la façade pivote autour de la colonne bow-window, comme les pièces d'une machine autour d'un axe. Et l'immeuble respecte l'alignement de la rue, en même temps qu'il le rompt par le décrochement de la niche centrale ».

Point capital pour l'architecte : « une finition extrêmement soignée en carrelages, pour faire un bel objet qui respecte l'appréhension visuelle du piéton qui a le nez sur la façade ».

Buffi a également construit l'immeuble voisin – 14, rue Mathis – se livrant ainsi à un intéressant travail de juxtaposition de deux constructions différentes l'une de l'autre par les volumes et les matériaux, et pourtant en harmonie.

A VOIR AUX ALENTOURS :
– *L. THOMAS / Cinéma (désaffecté) / 108, rue de Flandre (1939)*

Martin S. VAN TREEK

235

1984
Ateliers pour artistes âgés

142, rue de Flandre (19ème)
Métro : Corentin-Cariou
Maître d'ouvrage : RIVP

Sur un terrain « impossible » – tout en longueur, emprisonné au cœur d'un îlot où la hauteur de construction ne peut pas dépasser une dizaine de mètres – un immeuble collectif qui vise à retrouver « l'échelle individualiste liée aux ateliers d'artistes ». « Les changements de matériaux – briques rouges / parpaings blancs – fractionnent visuellement le long bâtiment en une série de maisons de ville. De la même manière, les hautes lucarnes-voûtes ne servent pas à l'éclairage des ateliers – qui reçoivent la lumière par le toit – mais ont pour unique fonction de « scander, par leur verticalité, l'horizontalité du bâtiment ».

A VOIR AUX ALENTOURS :
– *M. HEYMANN et H. JIROU / Logements « Cité des Eiders » / 145, rue de Flandre (1981)*
– *P. EDEIKINS, P. de TURENNE et L. BOUR-GOIS / Logements / 14, rue Barbanègre (1984)*
– *M. DUPLAY / Logements / 121, rue de l'Ourcq (1986)*

**Christian
MAISONHAUTE et
Jacques LEVY**

1980
76 logements sociaux
dans un entrepôt
reconverti

145, rue de l'Ourcq (19ème)
Métro : Crimée,
Corentin-Cariou
Maître d'ouvrage : HABITAT
SOCIAL FRANÇAIS

236

Pour transformer en logements cet ancien entrepôt de meubles des Galeries Barbès datant de la fin du siècle dernier – une grande première à Paris – les architectes ont dû y « creuser une rue intérieure assurant une distribution, un éclairage et une ventilation correcte des appartements ».

Cette rue intérieure, protégée par une verrière, est « sculptée par les poutrelles métalliques et les galeries ouvertes débordant de verdure qui desservent les appartements. La conception de ces derniers – en duplex pour la plupart – a été particulièrement soignée, les architectes préférant consacrer à l'amélioration des prestations intérieures l'argent prévu pour le ravalement de la façade.

Le faible taux de dégradation de l'immeuble et la vie qui s'est installée dans la rue intérieure – jeux des enfants, marchés aux puces occasionnels, fêtes etc. – est « la preuve que les habitants se sont totalement approprié cet espace calme, à l'abri des nuisances ».

Michel DUPLAY

1982
20 logements sociaux
166 ter, rue d'Aubervilliers
(19ème)
Métro : Crimée,
Corentin-Cariou
Maître d'ouvrage : RIVP

237

Théoricien d'une architecture dont « l'expressivité constructive renoue avec l'histoire », Duplay veut retrouver dans ses constructions contemporaines la « structure caractéristique de l'architecture parisienne ».

La formule, selon lui, tient en trois points : « des volumes verticaux, une façade claire, et la nette décomposition de cette dernière en trois parties bien distinctes (le rez-de-chaussée, les étages courants et la toiture de zinc) ». Il reprend ensuite ces différents éléments, puis les « réinterprète et les combine dans un esprit contemporain pour obtenir un immeuble à la fois purement parisien, et exempt de tout pastiche ».

Ici, il joue sur la répétitivité pour obtenir la « stricte ordonnance nécessaire à une place ». Au niveau de la rue, les arcades en double hauteur « signalent les activités commerciales ». Quant au toit « parisien » en zinc, il a été surélevé en duplex pour faire de l'immeuble, situé près d'une porte de la capitale, un « signal de Paris », en opposition aux hautes tours du quartier, d'un style banalement « international ».

238

Paul CHEMETOV, Christian DEVILLERS, Valentin FABRE et Jean PERROTET

1981
290 logements sociaux

3, rue Jean Lolive (Pantin)
Métro : Hoche
Maître d'ouvrage : LE LOGEMENT FRANÇAIS

« C'est ce qu'on appelait à la Renaissance un bâtiment de l'ordre du colossal. Car il fallait tout à la fois « avaler » visuellement une tour voisine haute de 23 étages et répondre aux souhaits de la municipalité qui voulait une forte densité d'habitations ».

Un immeuble « soigneusement mis en scène et qui entend apporter de l'ordre dans le chaos d'un environnement hétéroclite, labouré par des voies rapides. La façade principale est un phare qui regarde Paris. La façade secondaire, sur l'avenue Jean Lolive, marque l'entrée de la ville de Pantin. Elle est faite pour être regardée en perspective. L'angle très arrondi exprime la continuité » entre ces deux fonctions du bâtiment.

Quant aux briques – il y en a presqu'un million – elles sont un « salut aux HBM de la ceinture rouge, de l'autre côté du périphérique ».

A VOIR AUX ALENTOURS :
– *LE DONNE / Eglise Sainte Claire / 179, bd. Sérurier (1956)*

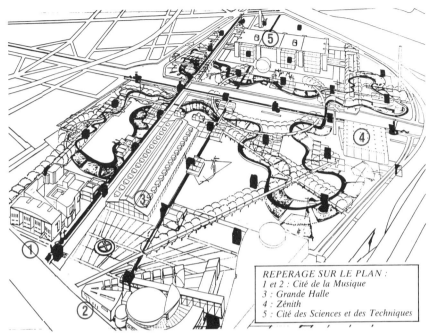

> *REPERAGE SUR LE PLAN :*
> *1 et 2 : Cité de la Musique*
> *3 : Grande Halle*
> *4 : Zénith*
> *5 : Cité des Sciences et des Techniques*

239

Bernard TSCHUMI. *Prévu : 1987-1988*

Parc de La Villette (30 ha)
211, av. Jean Jaurès (19ème). Métro : Porte de Pantin
Maître d'ouvrage : ETABLISSEMENT PUBLIC DU PARC DE LA VILLETTE

Sur les 55 hectares du site des anciens abattoirs de La Villette – fameux scandale urbanistico-financier de la Ve République – le plus vaste parc de Paris (30 ha.), avec un grand musée des sciences et des techniques, une cité de la musique et une salle de spectacles, « Le Zénith ».

Tschumi a imaginé « un parc du 21e siècle, c'est-à-dire un parc d'activités, contrairement aux parcs d'agrément ou de repos des 18e et 19e siècles ». D'où la faible importance de la « verdure » : seulement deux kilomètres d'allées bordées d'arbres, quelques hectares de prairies, et une soixantaine de petits « jardins thématiques », de moins de 1.000 m^2 chacun : jardins d'eau, potager, culturel, didactique etc...

Pour le reste, de vastes esplanades pour les jeux, et surtout une trentaine de « folies ». Ces cubes de 10 m. de côté, revêtus de métal rouge sont disposés selon une trame régulière, à une centaine de mètres l'un de l'autre. Chaque « folie » est consacrée à une activité précise : de la musique au jardinage, en passant par l'informatique.

Une grande galerie couverte de 900 m. de long, bordée de cinémas et de restaurants, traverse le parc de part en part, et le rend utilisable par tous les temps. Elle longe notamment l'ancienne halle aux bœufs, énorme étable de 2 ha. construite par Janvier, close avec des vitrages et transformée en salle d'exposition et de spectacles par Reichen et Robert.

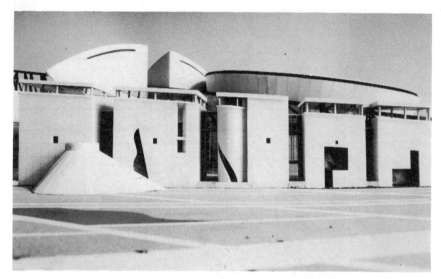

Christian de PORTZAMPARC

Prévu : 1989

Cité de la Musique

211, av. Jean Jaurès (19ème)
Métro : Porte de Pantin
Maître d'ouvrage : ETABLISSEMENT PUBLIC DU PARC DE LA VILLETTE

Pour remplacer le vétuste conservatoire de musique de la rue de Madrid, la cité de la Musique et de la Danse qui manquait à Paris. Etudiée avec ses futurs usagers, dont Pierre Boulez, directeur de l'Ensemble Intercontemporain, elle abrite le nouveau conservatoire et ses prolongements : salle de concert de 1.200 places, 15 salles de musique, plus de 100 classes et studios d'étude, une médiathèque, une centaine de logements d'étudiants et un musée de la musique.

Désireux « de construire un espace de transition qui amène le jardin à la ville », Portzamparc a refusé de faire une « composition symétrique centrée sur la fontaine, pour ne pas donner une importance prépondérante à la grande halle ». Il a conçu un « ensemble assymétrique dont la partie droite à la façade oblique est largement ouverte sur le jardin ».

Pour éviter un « empilement de grands bâtiments linéaires et répétitifs », Portzamparc a « nettement différencié tous les éléments du programme. La multiplicité des bâtiments crée ainsi une sorte de quartier à la géométrie magique, parsemé de spirales et de triangles ».

Essentiellement réservée aux étudiants, l'aile gauche, à la structure stricte, abrite des locaux ayant la même fonction (salles de travail). En revanche, l'aile droite, ouverte au public, regroupe des bâtiments à fonctions très diverses (grande salle, salles de répétition, musée, commerces, logements) dont les volumes très diversifiés sont « unifiés par le mouvement lyrique du toit ascendant ».

Philippe CHAIX et
Jean-Paul MOREL

1983
Le Zénith (salle de
6.300 places)

211, av. Jean Jaurès
(19ème)
Métro : Porte de Pantin
Maître d'ouvrage :
MINISTERE DE LA CULTURE

241

Salle de variétés construite « provisoirement » en attendant la réalisation de la salle de rock de la porte de Bagnolet. L'abandon de ce projet a transformé le provisoire en définitif.

La solution retenue est une charpente métallique de 70 m. de portée qui supporte, à l'extérieur, une « peau » en polyester d'une durée de vie de 15 ans et, à l'intérieur, cinquante tonnes d'équipements de scène. Elle présente les mêmes avantages qu'un chapiteau traditionnel : rapidité d'exécution (12 mois, études comprises) et faible prix de revient (à 5.000 F. la place, elle est amortie en 6 ans). Mais elle n'en a pas les inconvénients (poteaux qui gênent la vue, courants d'air etc.).

Pour les architectes, c'est la « preuve qu'il est possible, avec des structures légères, économiques, démontables et réutilisables, de faire une salle pratiquement aussi durable qu'un bâtiment traditionnel, et aux performances identiques ». Ou presque identiques, en ce qui concerne l'acoustique, qui pose parfois des problèmes au Zénith. Plusieurs villes de province ont d'ores et déjà décidé de se doter d'une telle salle.

Le mât en béton surmonté d'un aéroplane, devenu le logo de la nouvelle salle, est l'ancienne tour qui alimentait en fourrage les étables de l'abattoir.

Adrien FAINSILBER
(Bâtiment originel : Fournier (père et fils), J. Semichen et S. Waulan. 1964)

1986
Cité des Sciences et de l'Industrie

30, av. Corentin Cariou (19ème)
Métro : Porte de la Villette
Maître d'ouvrage : ETABLISSEMENT PUBLIC DU PARC DE LA VILLETTE

Grand comme quatre fois le centre Pompidou, ce musée des sciences et des techniques occupe l'ancien bâtiment des abattoirs aux proportions colossales : long de 275 m. et large de 110 m., il est plus haut que l'Arc de Triomphe. Il a fallu en retirer 7.000 tonnes de ferraille – presque le poids de la Tour Eiffel – pour y aménager le musée.

« Nous avons souligné au maximum la structure ancienne : piles de béton recouvertes de granit et poutres du toit peintes en bleu cobalt. Le côté monumental du bâtiment a été encore accentué en creusant un fossé mettant à jour ses deux étages souterrains, et en l'entourant de bassins ».

« La façade sud est entièrement vitrée pour établir un lien étroit entre le musée et son environnement : les salles d'exposition sont largement ouvertes sur le parc et, du parc, les serres de la façade apparaissent comme des vitrines du musée ».

Quant à la « Géode » – « protubérance disgracieuse, contraire au goût français » (1) estimait le Président Giscard d'Estaing – elle renferme une vaste salle de projection sphérique, recouverte de 6.500 plaques triangulaires d'acier-miroir ajustées au millimètre près. Elle est à la fois une réminiscence des sphères utopiques de Boullée et Ledoux et « la forme technologique pure qui signale et symbolise le musée ».

(1) Cité par François Chaslin, « Les Paris de François Mitterrand ». Ed. Gallimard Folio (1985)

Pol ABRAHAM et Pierre TABON. *1938*
Groupe scolaire

20, sente des Dorées (19ème)
Métro : Porte de Pantin
Maître d'ouvrage : VILLE DE PARIS

Les années 30 sont marquées par une vague de constructions d'écoles – 24 à Paris en dix ans – comparable à celle qu'avait connue la capitale à la fin du 19e siècle (cf. p. 81).
Ces nouveaux établissements scolaires s'affirment de plus en plus comme des bâtiments publics modelant leur environnement, à l'inverse des « écoles Jules Ferry », modestement coincées entre des immeubles de logements, et ne s'en différenciant que fort peu. Ici cette évolution est particulièrement marquée : le groupe scolaire occupe tout un îlot et délimite la totalité d'une rue.
Cette position dominante, à l'image de la puissance grandissante des pouvoirs publics, est encore accentuée par une composition symétrique monumentale : les cages d'escaliers-tours rythment le bâtiment-forteresse dont le centre de gravité, l'entrée, est marquée par un graphisme très fort : des auvent blancs surmontent le double porche – un pour les filles, un pour les garçons – qui entourent l'œil de bœuf de la loge de concierge. Le motif en jeu de briques au deuxième étage, où l'on s'attendrait à trouver les armes de la ville (cf. p. 209), renforce encore le caractère officiel du bâtiment.

A VOIR AUX ALENTOURS :
– *J. DEBAT-PONSAN / Bureau de poste / 207, av.
Jean Jaurès (1931)*

Georges PENCREAC'H.
Denis STAHLBERGER, assist.

1985
36 logements sociaux et école (300 élèves)

162, av. Jean Jaurès (19ème)
Métro : Ourcq
Maître d'ouvrage : RIVP

Un immeuble qui joue au « fondu enchainé » pour mieux s'intégrer à l'alignement de l'avenue.

En hauteur, « il assure naturellement la transition avec ses voisins ayant respectivement 6 et 3 étages. Même principe pour la façade : le maillage en béton clair laisse progressivement la place, dans les étages supérieurs, à la façade en retrait – ainsi que l'exigent les règlements – en béton gris-bleu, ponctuée de cages d'escaliers vitrées, qui forment la nuit deux colonnes de lumière ». Cet « espace entre les deux peaux de l'immeuble crée des visions différentes selon le point de vue, faisant jouer l'architecture par rapport au mouvement ».

Derrière l'immeuble, invisible de la rue, l'école est composée de petits volumes bas. Elle est desservie par un couloir-verrière de 80 mètres de long qui débouche sur la façade.

A VOIR AUX ALENTOURS :
– *Agence d'architecture HBM / Ensemble de logements / 108, bd. Sérurier (1935)*
– *R. TAILLIBERT / Piscine / 6, rue David d'Angers (1972)*
– *G. DEBRE / Logements / 23, rue Miguel Hidalgo / (1932)*
– *F. NANQUETTE / Logements / 82, rue Botzaris / (vers 1930)*

Claude PARENT et André REMONDET

1974
Bureaux

58, rue de Mouzaia (19ème)
Métro : Pré Saint Gervais
Maître d'ouvrage : MINISTERE DE LA SANTE

Une façade qui « refuse d'être un masque », et entend exprimer la « vérité intérieure de la construction », conformément au credo fonctionnaliste. « La profonde « faille » verticale qui la barre de haut en bas est une espèce de cicatrice qui marque la jonction avec un bâtiment arrière perpendiculaire, et non visible de la rue ».

Travail très poussé sur le matériau : les panneaux de façades sont entièrement préfabriqués, et le béton a été soigneusement cannelé tout à la fois « pour accrocher la lumière et réduire la salissure en canalisant les coulées d'eau ».

La corniche supérieure semi-cylindrique est un « toit symbolique qui finit l'immeuble », alors que le poème de Catherine Val gravé au rez-de-chaussée sur un mur-graffiti, « lui donne son identité ».

A VOIR AUX ALENTOURS :
- J. PECCOUX / Ecole / 7-23, rue Eugénie Cotton
  (1975)
- J. BRANDON / Ensemble HBM / 27, rue du
  Docteur Potain (1927)

Pierre RIBOULET

prévu : 1988

Hôpital Robert Debré (436 lits pour enfants)

48, bd. Sérurier (19ème)
Métro : Porte des Lilas, Pré Saint Gervais
Maître d'ouvrage : ASSISTANCE PUBLIQUE

A l'opposé de l'hospice-dépotoir du 19ᵉ siècle, Riboulet a conçu un hôpital « relié à la ville et pénétré par elle ». Ainsi, la rue se prolonge à l'intérieur de l'établissement en une galerie publique qui le traverse de part en part, desservant les différents services, des magasins, un jardin d'hiver etc.

De la même manière, il a rejeté « les espaces indifférenciés des hôpitaux-machines de l'après-guerre ». « Chacun des services de l'établissement possède sa propre architecture individualisée, afin de recréer un morceau de ville intérieure dans un grand équipement urbain ».

Construit en terrasses sur les flancs d'une colline, il en épouse les courbes « pour être plus accueillant, et regarde vers le sud, tournant le dos au bruit du boulevard périphérique dont il est protégé par le grand bâtiment des services administratifs ».

A VOIR AUX ALENTOURS :
– *H. VIDAL / Eglise Sainte Marie Médiatrice / 46, bd. Sérurier (1954)*
– *A. SARFATI / Logements / 313, rue de Belleville (1982)*
– *L.E. DIRAND / Logements / 84, rue Haxo (20ème) (1986)*
– *L. DOCO et F. SPY / Logements / 78, rue de la Villette (1976)*
– *J.M. HENNIN et N. NORMIER / Foyer de célibataires / 1, rue des Solitaires (1986)*

Michel BIRMANT

247

1983
Ecole

1, rue des Alouettes (19ème)
Métro : Botzaris, Jourdain
Maître d'ouvrage : VILLE DE PARIS

Volonté de « retrouver une échelle humaine de quartier, en structurant un environnement disparate, où s'entrechoquent des pavillons bas, des hautes tours construites dans les années 60 et des immeubles haussmanniens traditionnels ».

« L'angle des rues a été reconstitué et souligné par une façade à facettes, centre de gravité contenant les locaux administratifs. Rue Fessart, les décrochements de la façade et les insertions de carrelage blanc retrouvent l'échelle des pavillons situés face à l'école ».

« Sur la rue des Alouettes, bordée d'immeubles de hauteur traditionnelle, l'école a des volumes plus importants regroupant des grappes de classes, reliées par une rue intérieure. Couverts de toits parisiens, ils se raccordent en douceur à l'école mitoyenne de style Jules Ferry ».

A VOIR AUX ALENTOURS :
- A. ROSNER et J.C. BERNADAC / Logements / 2, rue des Alouettes (1979)
- D. GIRARDET / Logements / 1, rue Melingue (1984)
- M. LODS / Entrepôts / 8, passage de l'Atlas (1932)
- R. PARISOT / Logements / 19, rue de l'Atlas (1930)
- T. FAYETON et C. TAMBUTE / Logements / 50, bd. de Belleville (1982)
- P. SONREL, J. DUTHILLEUL, A. et D. SLOAN / Logements / 10, bd. de la Villette (1984)
- A. et D. SLOAN / Bureaux / 2, bd. de la Villette (1984)

BAGNOLET

LE PRE
SAINT GERVAIS

PTE. DE
PANTIN

A3

BOULEVARD   MORTIER   BOULEVARD   MORTIER

PERIPHERIQUE

11

10   9

7

8

1   2   3

XIX EME

STALINGRAD

X EME

N

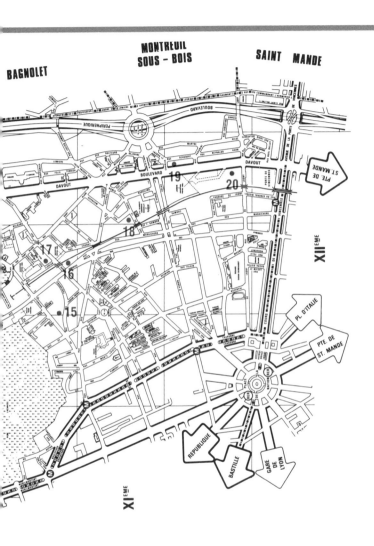

BAGNOLET

MONTREUIL
SOUS - BOIS

SAINT MANDE

PTE. DE
ST.MANDE

DAVOUT

19

20

17

16

15

18

XII^{ÉME}

PL. D'ITALIE

PTE. DE
ST. MANDE

XI^{ÉME}

REPUBLIQUE

BASTILLE

GARE
DE
LYON

XX'
ARRONDISSEMENT

**Alex WIESENGRUN,
Philippe ROCCA et
Alain BEAUNY**

**Fresque murale :
Jean de GASPARY**

1982
6 ateliers d'artistes

*61, rue Olivier Métra
(20ème)
Métro : Jourdain*
Maître d'ouvrage : RIVP

Un immeuble dessiné comme une « composition abstraite ».
« Les volumes simples sont enveloppés par une peau en carrelage, lisse et sans relief. Les fenêtres sont de couleur sombre pour accentuer leur graphisme, et sont posées à fleur de façade, sans relief, comme dessinées sur une toile blanche ».
Contrepoint dynamique, « l'escalier helicoïdal a été laissé apparent, pour introduire la complexité et le mouvement sur la façade dépouillée, à la limite de l'austérité ».
Pour le reste, l'implantation de l'immeuble a été soigneusement étudiée afin de masquer un grand mur aveugle noirâtre et de préserver le bouquet d'arbres de la cour.

A VOIR AUX ALENTOURS :
– *R. BELLUGUE, P. GUIBERT et M. SOLER /
Logements / 10, rue Olivier Métra (1985)*
– *R. DOTTELONDE / Ecole / 40, rue Piat et villa
Faucheur (1983)*
– *J. BARDET et R. REVEAU / Logements / 13,
rue Jouye-Rouve (1984)*
– *G. DEBRE / Synagogue / 49, rue de Pali-Kao
(1930)*
– *L. AZEMA / Bureau de poste / 11, rue Etienne
Dolet (1939)*
– *T. CLAUDE / Maison / 3, rue Henri Chevreau
(1980)*

Henri GAUDIN.
Isabelle MARIN, collab.

1986
36 logements sociaux

44, rue de Ménilmontant (20ème)
Métro : Ménilmontant
Maître d'ouvrage : OCIL

Gaudin a voulu retrouver ici « la complexité du tissu urbain, rapprocher les choses – à l'inverse des barres et des tours qui les éloignent – pour créer un univers où les volumes sont en état de se parler ».

Ainsi, « la façade se raccroche à l'alignement des immeubles existants, mais en même temps joue sur cet alignement. Elle est tendue, travaillée de l'intérieur par un jeu de courbes qui la dynamise et la ponctue de poches hospitalières ». Les fenêtres standard, entourées de carrelage blanc brillant, « suivent les rythmes et les ordonnancements des immeubles voisins ».

Mais « la ville ce ne sont pas seulement les façades sur rue. Le creux est aussi important que le plein ». La cour de l'immeuble, très accidentée, est ce « lieu discret – clairière et entre-deux – qui renoue avec la tradition des passages et venelles » si nombreux dans le quartier.

Ionel SCHEIN.

Sylvie BERNARD-BOYER, collab.

1984

Logements sociaux

9-17, rue Duris (20ème)
Métro : Père-Lachaise
Maître d'ouvrage : RIVP

Une architecture de « pure volumétrie » pour cet angle de rue construit par un architecte qui, dans les années 60, avait publié un guide des nouveaux bâtiments parisiens (*Paris construit,* éd. Vincent Fréal) dans la droite ligne du Mouvement moderne et de la Charte d'Athènes.

« L'architecture, c'est le jeu magnifique des volumes sous le soleil », disait Le Corbusier. Fidèle à ce principe, Schein refuse ici de « faire de la surface » : sur son immeuble, « aucune décoration ou anecdote qui attire le regard, l'empêchant de saisir le pur jeu des volumes ». Ainsi, les fenêtres – accidents inévitables sur une façade – se font les plus discrètes possible, et le carrelage blanc – sur le cylindre central et les deux avancées latérales — « n'est pas un effet décoratif, mais sert uniquement à souligner le mouvement et l'imbrication des volumes ».

XX'/4

Pierre PARAT et Michel ANDRAULT

1985
Logements

24, rue de Tlemcen et 43, rue des Amandiers (20ème)
Métro : Père-Lachaise
Maître d'ouvrage : OCIL

Un immeuble qui joue l'opposition dehors/dedans.
A l'extérieur, « une architecture massive et stricte de forteresse. Des matériaux bruts – brique et béton bouchardé – sans camouflages, et des volumes qui, en exprimant les fonctions – bow-windows des salles de séjour, tours des escaliers – cassent la volumétrie des immeubles-boîtes d'allumettes ».
A l'intérieur, au contraire, « la douceur et l'exubérance d'une cour circulaire et soigneusement décorée. Une cour qui n'est pas un espace résiduel mais, comme dans l'architecture islamique, un espace privé et intime ».

Dominique HERTENBERGER et Jacques VITRY

1984
Logements sociaux

14-24, rue Duris (20ème)
Métro : Père-Lachaise
Maître d'ouvrage : SAGI

« Réminiscence » avouée des HBM qui bordent les boulevards extérieurs de Paris, la localisation de cet immeuble a été soigneusement étudiée afin de dissimuler les tristes « barres » construites dans les années 60, lors de la première vague d'urbanisation du quartier.

Désireux de « recomposer le paysage urbain », les architectes ont refusé « d'empiler les uns sur les autres des étages tous identiques », aboutissant à une construction qui n'aurait ni queue ni tête. « Le soubassement de l'immeuble est nettement marqué. La taille des fenêtres est diversifiée, suggérant les fonctions différentes – réception, habitation – des pièces qu'elles éclairent. Enfin l'angle est marqué par une grande fenêtre-signal haute de trois étages, et l'immeuble est couronné par un toit à profil parisien traditionnel ».

Toiture en ardoise, façade soignée en briques, bow-windows à menuiseries blanches : un aspect « cossu », peu fréquent dans un immeuble de logements sociaux.

Jean-Claude JALLAT et
Guy de NAYER

1985
Conservatoire de
musique

54, rue des Cendriers
(20ème)
Métro : Ménilmontant,
Père-Lachaise
Maître d'ouvrage :
VILLE DE PARIS

255

Volonté de donner à ce conservatoire un décor « aimable » qui égaye un environnement de « barres » grisâtres, caractéristiques de la première vague d'urbanisation du quartier, dans les années 60.

Les éléments en béton – « en forme de lyre ou de diapasons » – sont posés comme une peau sur la façade. Purement décoratifs, ils sont là pour « symboliser la fonction musicale du bâtiment ».

« Comme dans un théâtre antique », la façade sud, avec son grand fronton, est le « décor de fond de scène » du théâtre en plein-air à gradins où doivent être données des représentations en public.

A VOIR AUX ALENTOURS :
– *A. ZUBLENA / Logements / 10, rue Soleillet*
(1985)

Michel MOSSER

1975
12 ateliers d'artistes

5, rue des Pruniers (20ème)
Métro : Père-Lachaise,
Gambetta
Maître d'ouvrage :
L'HABITAT
COMMUNAUTAIRE

L'art d'accomoder les restes. Un immeuble d'ateliers d'artistes édifié sur un terrain impossible : une étroite bande de terrain, coincée contre le mur aveugle de la construction voisine, et orientée plein nord.

Souci dominant, la qualité de la lumière : « les verrières supérieures sont en porte-à-faux et orientées vers le haut, pour supprimer toute vue directe sur la rue et diffuser uniquement la lumière neutre du ciel ».

Cette solution volontairement accentuée – « les ateliers supérieurs sont traités comme des volumes autonomes en verre, emboîtés à l'oblique sur le toit de l'immeuble en ciment » – vise, avec le décrochement de la façade, à donner à l'immeuble un « aspect de sculpture ».

A VOIR AUX ALENTOURS :
– G. PLANCHE / Central téléphonique / 26, rue
  Sorbier (1933)
– G. PLANCHE / Bains-douches / 27, rue de la
  Bidassoa (1934)
– R. ANGER, M. HEYMANN et P. PUCCINEL-
  LI / Logements / 283, rue des Pyrénées (1960-
  1969)

Antoine GRUMBACH

1980-1989
Aménagement du secteur rue de la Mare – rue des Cascades (20ème)
Métro : Pyrénées
Maître d'ouvrage : SAGI, RIVP ET OPHLM

Dans les années 70, le quartier populaire de Ménilmontant avait encore largement gardé les ruelles sinueuses et les petits immeubles datant de l'époque où il était un village. Au terme d'une minutieuse étude, maison par maison, Antoine Grumbach a présenté un « plan d'amélioration » du secteur centré autour des rues de la Mare et des Cascades, qui « refuse la destruction pure et simple, tout autant que la réhabilitation-musée ».

Cette expérience exemplaire de « rapiéçage » d'un quartier laisse intacte sa structure (tracé des rues, hauteurs des immeubles, activités artisanales) et prévoit la réhabilitation de tout ce qui peut l'être. Dans les vides, Grumbach « insère » une quinzaine de constructions nouvelles (v. itinéraire ci-dessous), interventions homéopathiques qui visent à « revivifier la vie du quartier » : de petits immeubles ont été édifiés sur les terrains vagues, la banale intersection Mare-Savies a été aménagée en place, des petites voies transversales – fermées au cours des siècles – ont été réouvertes entre les rues de la Mare et des Cascades, l'entrée de la cité 115 rue de Ménilmontant a été dégagée, etc.

Itinéraire : prendre la rue de la Mare depuis la rue Henri Chevreau, place de Savies, tourner à droite rue de Savies, puis encore à droite rue de l'Ermitage jusqu'à la rue de Ménilmontant (n° 115).

A VOIR SUR L'ITINÉRAIRE :
– R. BELLUGUE, P. GUIBERT et M. SOLER / Logements / 40, rue des Cascades (1984)

Louis BONNIER

1925
Ensemble H.B.M.
(597 logements sociaux)

*140, rue de Ménilmontant
(20ème)*
Métro : Pelleport
**Maître d'ouvrage : OFFICE
D'HBM DE LA SEINE**

Autour de la première guerre mondiale, une population déracinée par l'exode rural vient constituer au pied des fortifications de Paris la « zone », ceinture de bidonvilles générateurs de délinquance.

Il est impérieux de fournir aux miséreux qui y croupissent un « cadre éducateur d'ordre et de propreté » (1). Question d'humanisme, mais aussi d'intérêt social bien compris : « Sans logement, il n'y a pas de famille. Sans famille, il n'y a pas de morale. Et sans logement, sans famille et sans morale, il n'y a pas de paix dans l'atelier ».

A partir du moment où l'ordre et l'hygiène règnent dans des logements salubres – c'est-à-dire « en dur », possédant un minimum de fenêtres, pourvus d'eau et de chauffage – la solution de tous les problèmes sociaux est en vue, estime-t-on alors, sans porter plus d'attention à la qualité du décor urbain.

C'est sans doute cette vision réductrice qui explique que Bonnier, un haut-fonctionnaire républicain nourri de Victor Hugo, ait pu conjuguer sa sincère volonté de faire le bonheur du prolétariat, avec la construction d'un univers quasi-concentrationnaire.

(1) Déclaration d'un conseiller de Paris en 1922. Cité par Jean Taricat et Martine Villars in « Le logement à bon marché, Paris 1850-1930 », (éd. Apogée, 1982)

A VOIR AUX ALENTOURS :
– *F. L'HERNAULT / Ateliers d'artiste / 17, rue de
la Duée (1982)*

Florent L'HERNAULT

1983
Logements de fonction

37, rue de la Duée (20ème)
Métro : Pelleport, Pyrénées
Maître d'ouvrage : P.T.T.

C'est au retour d'un voyage d'étude des villas de Palladio en Italie, que L'Hernault a construit cet « immeuble bonhomme qui cherche à renouer avec le passé d'ancien village du quartier ».

Une construction qui se veut totalement en harmonie avec « l'atmosphère campagnarde » de la villa Georgina, petite ruelle bordée de maisons à jardins qui s'ouvre en face d'elle. Ainsi, « le cheminement de la ruelle se prolonge visuellement sous le porche du bâtiment, largement ouvert sur une cour intérieure très verdoyante ». De même, la façade au tracé très rigoureux, a été couverte d'un carrelage lumineux, sans coupe, « pour mettre en valeur la végétation de la villa ».

A VOIR AUX ALENTOURS :
– *F. L'HERNAULT / Logements / 2, rue des*
  Pavillons (1982)
– *J. BRANDON / Ensemble de logements / 21, rue*
  du Borrego (1913)
– *R. DUBOS / Ecole / 121, rue Pelleport (1947)*

Alain PAYEUR.
Jean CASTEX et
Philippe PANERAI, ass.

1984
Logements sociaux

29, rue Saint-Fargeau et
passage Gambetta (20ème)
Métro : Saint-Fargeau
Maître d'ouvrage : RIVP

Volonté de « reconstituer le décor ordonné d'une villa parisienne traditionnelle dans ce quartier reconstruit de manière anarchique dans les années 60 et 70 ».
Il y a vingt ans, on aurait tout rasé pour reconstruire. Ici, on a volontairement conservé la ruelle étroite, reste de la ville ancienne, qui a été bordée de petits immeubles bas percés de cours dessinées chacune par un des architectes de cette équipe, qui a beaucoup étudié l'histoire et la théorie de l'architecture (1). Résultat : « une sorte de décor de théâtre, très symétrique, inspiré de Palladio et empruntant ses couleurs – ocre et saumon – à l'architecture baroque italienne ».

(1) J. Castex, P. Pannerai et J.C. Depaule « Formes urbaines : de l'îlot à la barre ». Ed. Dunod 1977.

A VOIR AUX ALENTOURS :
– *J. AUDREN, D. LENGLART, R. SCHLUM-BERGER et F. TOUITOU / Logements / 33, rue Saint-Fargeau (1984)*
– *L. BEVIERE (rénovation : R. TAILLIBERT) / Piscine des Tourelles / 148, av. Gambetta (1924)*
– *L. HOYM de MARIEN / Logements / 128, av. Gambetta (1968)*
– *J. MADELINE / Ensemble HBM / 36, bd. Mortier (1932)*

Michel DUPLAY

1982
Logements sociaux

24, rue de la Py (20ème)
Métro : Porte de Bagnolet,
Pelleport
Maître d'ouvrage : RIVP

261

« Un immeuble en angle rentrant qui épouse le tracé de la rue en jouant sur l'épaisseur de sa façade ».

Sans renoncer à sa volonté de « réinterprétation contemporaine de l'architecture parisienne traditionnelle » (cf. p. 237), Duplay a voulu une façade qui « exprime la structure interne du bâtiment ». Ainsi, le contraste entre les parties pleines et vitrées, ainsi que les différentes tailles de fenêtres « rendent compte des diverses fonctions des pièces intérieures : habitation ou service ».

Les appartements – en duplex pour la plupart – sont dessinés comme des « unités nettement individualisées, avec la grande verrière et le balcon du séjour, et la fenêtre de la chambre en mezzanine ». Rare dans les logements HLM.

A VOIR AUX ALENTOURS :
– *R. LARDAT / HBM / 166 bd. Davout (1934)*
– *D. COULLARD / Logements / 33, rue des Gatines (1980)*
– *A. LABUSSIERE / HBM / 7, rue d'Annam (1913)*

Valentin FABRE, Jean PERROTET et Alberto CATTANI

Prévu : 1987

Théâtre de l'Est Parisien (TEP)

15, rue Malte-Brun (20ème)
Métro : Gambetta
Maître d'ouvrage : MINISTERE DE LA CULTURE

Depuis son installation en 1963 dans un modeste cinéma désaffecté du quartier, l'équipe du TEP poursuit le même projet : « ouvrir le théâtre sur la vie de l'est parisien, sous-développé en matière culturelle ».

C'est ce principe qui a guidé la reconstruction sur place du théâtre : « faire un bâtiment modeste et familier, sans caractère monumental, et qui crée une animation par son ouverture sur l'extérieur ».

Le nouveau TEP s'affiche donc dans l'étroite rue Malte-Brun, utilisant sa vaste façade vitrée comme une vitrine qui présente au passant l'activité théâtrale en train de se faire : gradins, foyer et passerelles techniques ».

A VOIR AUX ALENTOURS :
- H. SAUVAGE / Cinéma / 4, rue Belgrand (1920)
- L. BONNIER / Dispensaire / 190, rue des Pyrénées (1903)
- A. et G. STOPPA / Logements / 175, rue des Pyrénées (1977)
- L. SARRET / Logements / 2, rue de la Cour-des-Noue (vers 1929)
- J. DUBUS / Foyer de personnes âgées / 13, rue Pelleport (1986)
- L. SARRET / Logements / 26, rue Pelleport (1931)
- A. WIESENGRUN et P. ROCCA / Logements / 21, rue Pelleport (1986)
- A. BUREL, B. LAMY et D. VIAL / Logements / 11, rue de Prairies (1984)
- P. CHAVANNES, M. LAMBERT et M.F. MARTIN / Logements / 14, rue des Prairies (1986)
- P.L. ALLIAUME / Logements / 5, rue des Prairies (1982)

Yann BRUNEL et Sinikka ROPPONEN

1982
Ateliers d'artistes

1, chemin du Parc de Charonne (20ème)
Métro : Porte de Bagnolet, Gambetta
Maître d'ouvrage : RIVP

263

Une des rares constructions contemporaines en bois à Paris, réalisée par deux architectes qui ont vécu en Finlande. La structure préfabriquée en bois est composée de madriers en lamellé-collé passés à l'autoclave. Elle a été montée en seulement quatre jours.

La façade « exprime clairement la nette séparation des fonctions : pièces « humides » et escaliers en parpaing, pièces « sèches » en bois avec remplissage en briques, pour rappeler l'architecture des anciens ateliers artisanaux du quartier ».

Traitement particulièrement allusif de l'angle : « un simple vide dans un renfoncement. Seul un petit volume en pan coupé, à la hauteur du deuxième étage, signale le coin de la rue ».

A VOIR AUX ALENTOURS :
– *G. THURNAUER / Logements / 123, rue de la Réunion (1983)*
– *G. THURNAUER / Ecuries réhabilitées en logements et ateliers / 110 bis, rue de la Réunion (1984)*
– *D. Maufras / Logements / 16, rue des Orteaux (1985)*

Georges MAURIOS.

Jean-Paul ASTIER, collab.

1985

Logements sociaux

11-21, rue de Fontarabie et 74, rue de Bagnolet (20ème)
Métro : Alexandre Dumas
Maître d'ouvrage : RIVP

Un ensemble qui entend « retrouver l'échelle urbaine du quartier et faire vivre le cœur de l'îlot en créant un cheminement piéton entre les rues de Fontarabie et de Bagnolet ».

« Le porche monumental – porte-à-faux soutenu par une colonne puissante, murs épais en béton bouchardé – coupe visuellement le bâtiment long de 110 m et marque l'entrée d'un espace intérieur semi-public, un cœur d'îlot vivant et ouvert, le contraire d'une cour sombre, espace résiduel et hostile ».

« A gauche, l'immeuble se termine par une partie en briques, qui se raccorde à la construction mitoyenne. A droite, il grimpe brusquement à 8 étages, pour s'accrocher à une tour déjà existante ».

A VOIR AUX ALENTOURS :
– J. KALISZ / Ecole et logements / 10, rue de
   Fontarabie (1983)
– C. et H. DELACROIX / Logements / 40, rue de
   Fontarabie (1934)

Yann BRUNEL et Sinikka ROPPONEN

1986
Ateliers-logements pour
musiciens

116, rue des Pyrénées
(20ème)
Métro : Maraichers,
Alexandre Dumas
Maître d'ouvrage : RIVP

265

Premier ensemble construit à Paris spécialement pour le travail et le logement des musiciens. Une construction « allégorique » dont les architectes ont voulu « afficher la fonction musicale, en la différenciant clairement d'un immeuble de bureaux ou de logements traditionnels ».

Ainsi, expliquent les architectes, « la musique est partout présente sur la façade, sous forme de symboles : les grosses ouvertures rondes – qui devaient initialement être en cuivre – sont comme des extrémités de trompettes, et les petites ouvertures rondes, comme des notes sur leurs portées. Le dessin des éléments en béton des derniers étages évoque l'extrémité d'un manche de guitare avec ses clefs ».

Pour une acoustique optimum, la plupart des studios possèdent des plafonds mobiles et des « cheminées musicales » de 7 m de hauteur. L'isolation phonique est extrêmement poussée (vitres de 3,4 cm d'épaisseur, planchers de 30 cm) et s'exprime extérieurement par une construction « lourde et massive comme un bunker ».

Jacques BARDET.
Romain REVEAU, collab.

1982
Collège (600 élèves)

39, rue Vitruve et 2, rue Galleron (20ème)
Métro : Maraichers, Alexandre Dumas
Maître d'ouvrage : VILLE DE PARIS

Bardet ne voulait surtout pas faire de ce grand collège un « énorme pavé qui écrase tout le quartier Saint-Blaise », dont le plan de rénovation entend précisément conserver le caractère villageois.

Cette « contradiction entre l'aspect monumental d'un grand équipement public et l'échelle domestique des immeubles environnants est résolue en ménageant dans le collège une série de patios qui le fractionnent en plusieurs petits bâtiments de dimensions plus intimes ». Ces patios servent également à l'éclairement des classes, et sont partiellement fermés par des claustrats verts sur lesquels doivent pousser des plantes grimpantes « afin de retrouver l'esprit ludique des jardins ».

A VOIR AUX ALENTOURS :
– F. NANQUETTE, J. BRANDON et H. STO-
  ROGE / Ensemble HBM / 2, square d'Amiens
  (1954)
– ABEL et MATHIEU / Groupe scolaire / 2, rue
  Eugène Reisz / (1931)
– P. GIUDICELLI / Logements / 74, rue des
  Orteaux / (1984)

ARCHITECTURE STUDIO

1985
Ecoles maternelle et primaire (600 élèves)

Rues de la Croix Saint-Simon et Mouraud (20ème)
Métro : Porte de Montreuil
Maître d'ouvrage : VILLE DE PARIS

Une « façade austère et épaisse, à l'image de la rigueur de l'école. Mais une école étroitement liée à la ville ».

Ainsi, « la transparence de la colonnade laisse voir les activités qui se déroulent à l'intérieur de l'établissement, et le fronton triangulaire qui le surmonte répond à celui de l'église située vis-à-vis ».

Les niches de fenêtres alternativement bleues et rouges – inspirées de la peinture cinétique, elles changent de couleur selon le point de vue – et le soubassement qui ondoie « indiquent que derrière la rigueur, il y a la vie ». Celle-ci éclate dans la cour (visible depuis la rue Mouraud), dont la façade est un « empilement d'éléments multicolores, transposition du jeu de Lego que connaissent tous les enfants ».

268

Jean-Marie CHARPENTIER.
Ros BORATH, collab.

1983
Hôtel industriel

64, bd. Davout (20ème). *Métro : Porte de Montreuil*
Maître d'ouvrage : SAGI

Symbole d'une volonté de maintien dans la ville des petites industries chassées par la spéculation immobilière, cet « hôtel industriel » a été conçu pour offrir un cadre moderne à l'activité de 18 entreprises, allant de l'artisanat traditionnel à l'électronique, en passant par la petite mécanique.

Désireux de « réconcilier la ville et l'industrie », les architectes ont voulu échapper à l'image péjorative d'une « usine en tôles ondulées vissées sur des poutrelles, construite pour durer le temps de son amortissement financier, et inconciliable avec un environnement urbain de qualité ». Leur construction est « solide, afin de durer et vieillir à l'unisson du quartier ». Les façades en brique sont en « harmonie avec celles des immeubles d'alentour » et les fenêtres, hautes et larges, « proclament sans honte le caractère industriel d'un immeuble qui n'essaie pas de se déguiser en bureaux ».

Pour ne pas perturber l'environnement, condition nécessaire à une intégration bien acceptée, « les nuisances industrielles ont été éliminées au maximum par l'emploi de vitrages épais et de planchers lourds en matériaux isolants ».

A VOIR AUX ALENTOURS :
– *B. ZEHRFUSS / Bureaux / 6, rue Paganini (1973)*

Pierre PARAT et Michel ANDRAULT

1985
Logements sociaux

31, bd. Davout (20ème)
Métro : Porte de Vincennes
Maître d'ouvrage : SAGI

Les architectes ont appliqué ici les mêmes principes que pour leur ensemble de logements de la rue des Amandiers (cf. p. 253).

A l'extérieur, « une construction solide et carrée, qui évoque l'idée de protection, comme une forteresse : volumes massifs, bow-windows blindés, donjon en béton bouchardé pour la cage d'escalier ».

A l'intérieur, « des cours imbriquées, creusées dans la construction, espaces intimes et doux, protégés des agressions externes ».

Seule touche de « fragilité » sur la façade, les balcons métalliques, dont « l'idée d'échafaudage léger a été empruntée à un monastère du mont Athos, en Grèce ».

A VOIR AUX ALENTOURS :
– *P. GIUDICELLI / Ensemble de logements / 35-39, bd. Davout (1984)*
– *SALLEZ / Lycée Hélène Boucher / 73, cours de Vincennes (1938)*
– *A. BIRO et J.J. FERNIER / Logements / 8-16, rue de Lagny (1975)*

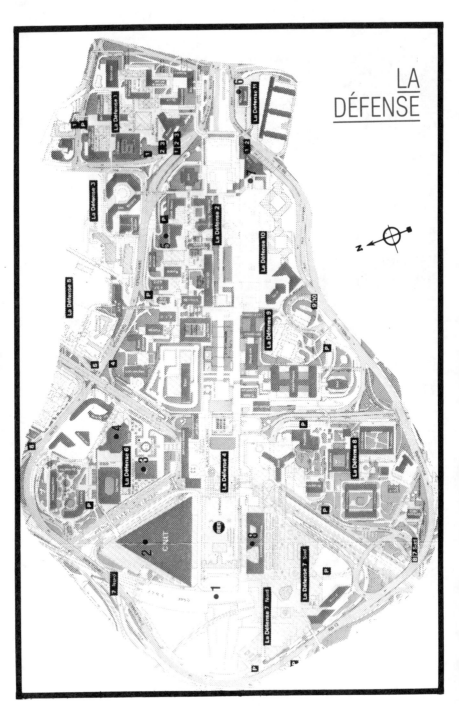

LA
DÉFENSE

LA DEFENSE : QUAND LE MALAISE DES EMPLOYES DE BUREAUX BOULEVERSE L'ARCHITECTURE

Aujourd'hui La Défense – à une station de métro de l'Arc de Triomphe de l'Etoile – est pratiquement devenue le 21ème arrondissement de la capitale. De plus, elle est un des rares exemples d'application des principes de la Charte d'Athènes. Ce credo de l'architecture « moderne » inspiré par Le Corbusier en 1933, préconisait notamment la généralisation des immeubles de grande hauteur et la suppression de la rue traditionnelle par la séparation des piétons et des voitures.

Deux raisons qui donnent toute sa place à La Défense dans un guide d'architecture moderne de Paris.

Le plan directeur élaboré entre 1959 et 1960 prévoyait, sur 800 hectares, la construction d'un quartier complet comprenant, autour de 25 hectares de jardins suspendus, 800.000 m² de bureaux, 5000 logements et 50.000 m² de commerces.

Mais peu à peu, ce projet de quartier aux activités diversifiées est abandonné au profit d'une augmentation du nombre de bureaux. Au début des années 70, la surface autorisée de bureaux est doublée (elle approche aujourd'hui 2 millions de m²). Au moment même où La Défense est frappée par une double crise : économique et architecturale.

Avec le choc pétrolier, les tours deviennent en effet d'un coût d'entretien prohibitif. Mais il y a autre chose : les employés et leurs entreprises rejettent de plus en plus les gigantesques tours (celles de la « 2ème génération »). Ils leur reprochent les grands bureaux paysagers – qui dépassent parfois 2.000 m², comme dans la tour Fiat – le manque d'intimité, l'éclairage permanent au néon, la mauvaise insonorisation et la climatisation fantaisiste.

Résultat : en 1976, alors que les bureaux manquent partout dans la capitale, 100.000 m² de bureaux restent vides à La Défense, qui apparaît comme une utopie moderniste, symbole de la faillite de l'architecture moderne.

C'est alors qu'apparaissent les tours dites de la « 3ème génération ». Elles sont étudiées pour être spécialement économes en énergie. Ainsi, le coût d'entretien de la tour Elf est inférieur de moitié à celui de la tour Fiat, pour une surface égale.

Mais elles visent aussi à répondre aux revendications des employés de bureau. En tête, l'abandon des bureaux paysagers et le retour aux bureaux individuels de « premier jour », c'est-à-dire éclairé chacun par sa propre fenêtre.

Du point de vue architectural, ce changement est décisif. Il est en effet impossible, dans une tour parallélépipédique épaisse de 50 m., d'assurer à chacun un bureau éclairé en « premier jour ». Il faut donc inventer de nouvelles formes : les bâtiments amincissent, les façades se fractionnent, s'étirent et se creusent. Des formes jamais vues apparaissent : sous le poids des contraintes économiques et sociales, une nouvelle architecture est née.

Johan-Otto von SPRECKELSEN

Prévu : 1988

Tête Défense

1, parvis de La Défense
Métro : La Défense
Maître d'ouvrage : SOCIETE D'ECONOMIE MIXTE TETE DEFENSE

Il ne faut pas forcément qu'une porte soit ouverte ou fermée. La décison de placer à la proue de La Défense, point extrême de « l'axe historique de Paris », un cube évidé qui « ferme » symboliquement la perspective tout en laissant passer le regard, dépasse 20 ans de polémiques acharnées et de projets abandonnés.

Troisième arc de triomphe de l'axe Louvre – Champs-Elysées sur lequel il est posé légèrement en oblique, il a des proportions colossales, sans rapport avec ses homologues du Carroussel et de l'Etoile. Cube presque parfait d'environ 110 m de côté, Notre-Dame et sa flèche tiendraient à l'aise sous son arche haute de 93 m, et large comme l'avenue des Champs-Elysées (70 m).

Entièrement revêtu de marbre blanc de Carrare, de granit gris et de vitrages réfléchissants, il offre 115.000 m² de bureaux. Un « puits d'ascenseurs ultra-rapides » permettent d'accéder au jardin suspendu, posé sur le toit de plus d'un hectare.

Bernard ZEHRFUSS, Robert CAMELOT et Jean de MAILLY.
Jean PROUVE, ing. façade
Nicolas ESQUILLAN, ing. voûte

1958

CNIT (Palais des expositions de 100.000m²)

Parvis de La Défense
Métro : La Défense
Maître d'ouvrage : EMMANUEL PROUVEREAU

Symbole de la modernité du nouveau quartier de La Défense, le CNIT (Centre national des industries et techniques) est la plus grande voûte du monde, avec 230 m de portée. La forme du bâtiment répond à une exigence simple : construire sur un terrain triangulaire une salle d'exposition la plus vaste possible, sans point d'appui.

Véritable prouesse technique pour l'époque, la voûte de béton, montée fuseau par fuseau, est en fait formée de deux voûtes superposées, séparées par un vide intercalaire. Le tout repose sur trois points d'appui, reliés par de puissants câbles d'acier, qui les empêchent de « s'écarter » l'un de l'autre et de provoquer l'effondrement du bâtiment.

La façade, à trame d'aluminium, a été calculée en fonction de la « respiration » de la voûte, qui se dilate et se rétracte alternativement de plusieurs centimètres, en fonction de la température.

Un projet est actuellement à l'étude pour la transformation du CNIT en hôtel.

La Défense / *3/4*

à gauche : **Roger SAUBOT et François JULLIEN.**
SKIDMORE, OWINGS et MERRIL, consultants

1974

Tour Fiat

Maîtres d'ouvrage : FIAT + INVESTISSEURS

à droite : **Roger SAUBOT et François JULLIEN.**
WZMH, consultants

1985

Tour Elf

Maître d'ouvrage : ELF-AQUITAINE
Place de la Coupole
Métro : La Défense

Deux tours jumelles (même hauteur : 180 m., même surface : 100.000 m2 de bureaux), construites par les mêmes architectes, mais à onze ans d'intervalle. Entre les deux, des différences notables témoignent des bouleversements économiques et sociaux intervenus à La Défense (cf. p. 271).

Influencés par le célèbre monolithe noir du film de Stanley Kubrick *2.001, l'odyssée de l'espace,* les architectes de Fiat ont voulu « marquer d'un point fort le sommet de La Défense, avec un monument qui tire sa puissance de son dépouillement total ». Pour obtenir ce pur volume, il fallait « gommer » tous les détails de la façade, notamment les alternances de pleins et de vides provoqués par les fenêtres ». Ces dernières, en verre fumé, sont donc de la même couleur que le granit des parois dont elles se distinguent à peine : noir.

Avec ses gigantesques bureaux-paysagers de près de 2.000 m2, « Fiat » est le symbole des tours de la « 2ème génération » à La Défense : trois à quatre fois plus vastes que celles de la « 1ère génération » (Nobel : 25.000 m2, cf. p. 277), elles sont aussi deux fois plus coûteuses à entretenir que les tours de la « 3ème génération », comme Elf (cf. ci-dessous).

Elf remplit la même fonction que Fiat, mais dans un marché fort différent. « Les entreprises refusent les charges d'entretien exorbitantes des grandes tours traditionnelles. Leurs employés ne veulent plus travailler dans des grands bureaux-paysagers et demandent au contraire des bureaux individuels, éclairés chacun par sa propre fenêtre. »

Cela ne serait évidemment pas possible avec un bâtiment comme Fiat, beaucoup trop épais (près de 50 m.) et où certains postes de travail se trouvent à une vingtaine de mètres de la fenêtre la plus proche. « Il a donc fallu fractionner les volumes et inventer de nouvelles formes, sortes d'épures qui n'ont rien de gratuit mais sont au contraire une réponse à des contraintes bien précises ».

Résultat, une « opposition entre le fin et le massif. Deux tours qui dialoguent comme une femme en robe du soir à côté d'un homme en smoking ».

Michel HERBERT et
Michel PROUX

1975
Tour Manhattan
(80.000 m² de bureaux)

Place de l'Iris
Métro : La Défense
Maître d'ouvrage : COGEDIM

276

Dix ans avant l'apparition des tours « silhouettées » à La Défense, les architectes ont refusé ici « la monotonie des volumes parallélépipèdiques » encore de règle au milieu des années 70.

Pour obtenir « des volumes qui poussent de l'intérieur », ils ont rejeté « la raideur de l'angle droit, au profit de la courbe ».

Ils ont appliqué le principe que « plus un bâtiment est grand, plus il doit se dépouiller de détails, c'est-à-dire d'anecdotes, pour affirmer un effet de silhouette ». Ainsi, les menuiseries métalliques, réduites à leur strict minimum par l'emploi d'une technologie à l'époque très avancée « dessinent sur le bâtiment une trame légère qui en souligne les volumes, comme une épure géométrique sur du papier quadrillé ».

A VOIR AUX ALENTOURS :
– *H. LA FONTA / Bureaux / « Les Miroirs » / La Défense – 3 (1981)*

**Jean de MAILLY
et Jacques DEPUSSE**

Jean PROUVE, ing.

1966

Tour Nobel (25.000 m²
de bureaux)

*La Défense - 11
Métro : La Défense*
Maître d'ouvrage : SOCIETE
DES EXPLOSIFS

Signal du nouveau quartier en arrivant de Paris, cette première tour de La Défense a été considérée à l'époque de sa construction comme une « adaptation à l'esprit français des gratte-ciel américains ».

De Mailly faisait de fréquents voyages d'étude aux Etats-Unis. C'est peut-être en voyant la tour Johnson construite en 1950 par Frank Lloyd Wright à Racine (Wisconsin), qu'il a eu l'idée d'arrondir les angles de sa construction « pour adoucir la brutalité de la forme parallélépipèdique ». Le vitrage incurvé qu'il a employé, alors introuvable en France, a été fabriqué spécialement par un verrier américain.

Construite en un temps record – 13 mois – elle a une façade composée de panneaux articulés spécialement étudiés par Jean Prouvé pour permettre à sa structure entièrement métallique de bouger librement sans endommager les vitres et le revêtement.

Jean WILLERVAL.

Branco VULIC, assist.

1985

Immeuble PFA
(45.000 m² de bureaux)

Quartier Michelet
Métro : La Défense
Maître d'ouvrage : SARI

278

Sur un terrain triangulaire situé aux avant-postes de La Défense, Willerval a conçu « un bâtiment-phare qui brille comme un diamant ».

Pour doter chaque bureau d'un éclairage naturel – une contrainte imposée par le maître d'ouvrage – il fallait une grande surface de façade. D'où la forme trangulaire de l'immeuble, comme un « cristal à facettes ».

Afin d'éviter « la sécheresse inhérente à un grand plan de verre, la façade est comme un livre ouvert sur l'esplanade de La Défense, avec un sillon central entre les pages, et des volumes arrondis qui captent les jeux de la lumière et des nuages ».

Roger SAUBOT, François JULLIEN et Whitson OVERCASH

1982

Immeuble « Elysée La Défense » (43.000 m² de bureaux)

Parvis de La Défense
Métro : La Défense
Maître d'ouvrage : INVESTISSEURS PRIVES

Le centre commercial existait déjà au rez-de-chaussée, déterminant impérativement les dimensions de l'immeuble de bureaux que l'on voulait poser dessus : 50 m. d'épaisseur sur 110 m. de long.

Comment, dans un immeuble aussi épais, assurer un éclairage naturel, c'est-à-dire une fenêtre à chacun des bureaux ? « En creusant le bâtiment pour retrouver, avec des volumes complètement nouveaux, le principe de la cour d'immeuble ». En bas de la « cour », sous la verrière oblique, une serre tropicale.

Dans cet immeuble de la « 3ème génération » (cf. p. 271), les employés bénéficient de fenêtres ouvrables, auxquelles est asservie la climatisation.

A VOIR AUX ALENTOURS :
– H. LA FONTA / Bureaux « Pascal » / La
  Défense - 7 (1983)

INDEX PAR ARCHITECTES

Les numéros de pages en **caractères gras** indiquent qu'un commentaire détaillé est consacré au bâtiment correspondant.

283

INDEX DES PRINCIPAUX BATIMENTS

Table des matières ———————————

CREDITS DOCUMENTS

Toutes les photos sont de l'auteur sauf :

P. 17 : Etablissement public du Grand Louvre
P. 23 (bas) : Agence Piano et Rogers
P. 51 : « L'Architecte » (1933)
P. 53 : Musée d'Orsay
P. 75 : Chevojon - « Encyclopédie de l'architecture » (1931)
P. 96 : Jean Biaugeaud
P. 99 : Dumage - Studio Littré
P. 119 (bas) : Gilles Walusinski
P. 127 : « L'Architecte » (1928)
P. 155 : Groupe d'Etudes Architecturales
P. 161 : Agence Aymeric Zublena
P. 177 (bas) : Perret Fréres
P. 185 : Agence Henri Beauclair
P. 191 (haut et bas) : A. Salaün - « L'Architecte » (1927)
P. 205 : Agence Wladimir Mitrofanoff
P. 220 (bas) : Henri Sauvage
P. 229 : Croquis de Fernand Pouillon
P. 239 : Agence Bernard Tschumi
P. 240 : Agence Christian de Portzamparc
P. 242 : Patrice Asti
P. 246 : Jean Biaugeaud
P. 257 : Agence Antoine Grumbach
P. 262 : Agence Fabre, Perrotet et Catani
P. 272 : Société d'économie mixte Tête-Défense

Photos de couvertures : Gilles WALUSINSKI

Nous remercions la société Jean-Claude DECAUX qui nous a permis d'utiliser ses cartes des arrondissement parisiens, ainsi que l'EPAD (plan de La Défense).

Photocomposition/Photogravure/Montage : LE SCORPION
Ringlaan 31, 1820 Strombeek-Belgique

Achevé d'imprimer au 4ᵉ trimestre 1987
sur les presses du SCORPION

IMPRIMÉ EN BELGIQUE

Maquettes et conception graphique : Patrice AOUST